Que sais-je ?

LES PERSONNES
EN SITUATION
DE HANDICAP

Claude Hamonet

Huitième édition mise à jour
23ᵉ mille

D1319016

puf

Du même auteur

Abrégé de rééducation fonctionnelle et de réadaptation, Paris, Masson, 1975 ; 2e éd. 1980.

Électromyographie, Paris, Masson, 1980.

Handicap et droit, collectif sous la direction d'André Dessertine, Paris, Les Publications du CTNERHI, 1985.

Handicap vécu, évalué, collectif sous la direction de J.-M. Alby et P. Saussoy, Grenoble, La Pensée sauvage, 1987.

Handicap et université. Enseignement supérieur et recherche sur, par et pour les personnes handicapées, collectif sous la direction de François Vincent, édité par l'université de Paris-10-Nanterre, 1988.

La Douleur. Approches pluridisciplinaires, collectif sous la direction d'Arlette Lafay, Paris, L'Harmattan, 1992.

Handicapologie et Anthropologie, thèse d'anthropologie sociale, université Paris-5 René-Descartes, 1993.

Lexique de réadaptation français-polonais, Créteil, Éditions ALU, université Paris-12-Créteil, 1995.

Guide pratique des prescriptions de rééducation, Paris, Vernazobre, 1995.

(Suite en fin d'ouvrage, page 127)

ISBN 978-2-13-073221-1
ISSN 0768-0066

Dépôt légal – 1re édition : 1990
8e édition mise à jour : 2016, janvier

Avant-propos

Cette nouvelle édition est la huitième. La première, intitulée *Les Personnes handicapées*, est parue en 1990. Elle est issue des prémices d'une thèse d'anthropologie sociale sur le handicap que nous avions entreprise conjointement à nos charges d'hospitalo-universitaire en médecine de réadaptation et que nous n'étions pas certain de pouvoir terminer.

Depuis, la thèse a été soutenue, une nouvelle loi sur l'égalité des chances a été votée le 11 février 2005 par l'Assemblée nationale. Elle impose un certain nombre de mesures, notamment à l'école et au travail, avec un succès relatif, plus du côté scolaire que du côté professionnel. Tout cela progresse trop lentement, voire pas du tout quelquefois. Les raisons avancées, notamment économiques, ne sont jamais les bonnes. C'est principalement dans les mentalités que réside le problème, mais aussi dans les mots pour le dire. Bien des incompréhensions demeurent et même s'accentuent, avec l'utilisation excessive du terme *handicap*, auquel chacun semble donner le sens qui lui convient ou bien de s'en servir comme d'un habillage de circonstance.

La vision médicale à partir des maladies et des organes, renforcée par le développement des technologies de biologie (l'immunologie, la génétique surtout) et d'imagerie, aboutit à une approche qui prend la « déficience » centre l'approche principale au détriment de la considération de l'homme et de son environnement. C'est ce même courant d'inspiration médicale qui a conduit, au niveau de l'Organisation mondiale de la santé, à une série d'impasses dans des projets successifs (CIH, CIF) de vouloir classer les handicaps comme on classe les maladies.

Cette démarche constitue en soi un énorme contresens quand on sait que les classifications des maladies sont inspirées de celles des botanistes, également médecins, du xviiie siècle (Carl Linné, François Boissier de Sauvages). Dans ce système, les caractères des maladies, c'est-à-dire les signes, sont identifiés par analogie avec les caractéristiques des plantes et regroupés en classes, genres et espèces. Ils apparaissent comme des « signes positifs » en faveur de l'identification d'une maladie, alors que de toute évidence, ils ne peuvent être que « négatifs » pour le malade/patient. Le traitement du handicap demande une approche diamétralement opposée, car ce sont les éléments « positifs » pour la personne, donc les « signes négatifs » pour le médecin qui doivent être recherchés, sans négliger, bien entendu, les aspects limitant les capacités de la personne et son inclusion sociale. Cette tendance des organismes de santé internationaux va à l'envers du mouvement mondial des personnes handicapées, tant en Europe (déclaration de Madrid 2002) que dans le monde (ONU, 13 décembre 2006) Cette dernière vise à « promouvoir, protéger et assurer la pleine et égale jouissance de tous les droits de l'Homme et de toutes les libertés fondamentales pour les personnes handicapées ».

L'effet néfaste de ces classifications qui n'en sont pas est qu'elles créent autour des concepts de handicap et de réadaptation un flou linguistique et sémantique encore aggravé par l'intrusion inopinée dans la langue française de mots anglais dont le sens initial est détourné ou restreint (*rehabilitation* par exemple). Le résultat est que les textes produits, comme celui de la loi française de 2005, le sont avec une terminologie imparfaite, non seulement sous l'angle médical et social, mais aussi en termes de droit, ce qui leur enlève beaucoup de poids. Ces textes sont repris sans nuance par les dispositifs administratifs d'application, notamment des maisons départementales des personnes handicapées (MDPH), contraintes d'utiliser des méthodes d'évaluation inadéquates qualitativement et qui font appel quantitativement à la règle archaïque de mesure en pourcentages de l'être humain. Ceci génère beaucoup d'incompréhensions et d'injustices.

Il nous semble qu'aujourd'hui, un des points les plus importants est de réformer l'attitude des médecins, de les ouvrir aux conséquences sociales de la maladie et des accidents. À cet égard, l'ouvrage collectif récent, animé par les professeurs Jean-François Mattei et Claude Dreux, *Santé, égalité, solidarité*, ouvre une voie à suivre d'urgence.

Ces réticences, d'ordre médical, sont peut-être une expression particulière des archaïsmes sociaux et des peurs ancestrales de l'autre, surtout s'il est perçu comme monstrueux et donc dangereux. On pourrait avancer la formule : « le handicap, c'est les autres ». C'est donc une révision radicale de nos préjugés à cet égard qui s'impose aujourd'hui. Les récents débats sur les notions de pénibilité au travail et de dépendances des personnes âgées nous en montrent l'actualité. Faire l'impasse sur l'approche des situations de handicap c'est refuser un puissant facteur de progrès social pour tous. Une évolution du regard des autres est possible, comme l'a montré le succès des films *Intouchables* (2011) et *La Famille Bélier* (2014). Il est légitime d'espérer.

De l'infirmité aux situations de handicap. La problématique des personnes handicapées

> « Les handicapés à long terme ne sont ni malades ni en bonne santé, ni vivants ni morts, ni en dehors de la société ni pleinement à l'intérieur. »
>
> Robert Murphy,
> *The Body Silent*, 1987.

Les termes « handicap » et « personnes handicapées » sont d'apparition relativement récente. Ils ont progressivement supplanté « infirme », « invalide », « inadapté », « paralysé », « mutilé » ou encore « débile », aussi bien dans le discours quotidien que dans une grande partie du langage médical, social et juridique.

Cette évolution, dans laquelle les milieux associatifs et des milieux professionnels spécialisés ont joué un rôle déterminant, a pour motif premier la volonté d'éviter les mots au caractère péjoratif et dévalorisant.

Elle indique aussi la recherche d'une nouvelle conception d'un phénomène ancien qui s'est concrétisée par l'introduction, depuis plusieurs années, de l'expression « personnes en situation de handicap ». Cette formulation situe parfaitement le problème. Elle met en évidence le fait que ce sont le cadre de vie et l'organisation sociale, du fait de contraintes incompatibles avec les capacités restreintes d'une partie croissante de la population, qui créent les handicaps. Elle convient à toutes les formes de limitations fonctionnelles : physiques, sensorielles, mentales et psychiques. Cette notion met l'accent sur la nécessaire évolution d'un environnement physique et humain handicapant, et sur le fait qu'il n'est pas nécessaire d'être « infirme » (ou « déficient », selon une nouvelle terminologie plus récente mais tout aussi stigmatisante que l'ancienne) pour être en situation de handicap ou de pénibilité. Ainsi, les jeunes enfants, en poussette ou non, les personnes lourdement chargées sont en situation de handicap pour prendre le métro parisien. Le concept de situation de handicap a aussi pour avantage de ne plus faire de distinction ségrégationniste entre les valides et les « autres ». On voit ici l'importance des mots, surtout de ceux qui sont « négatifs » (en « de » ou en « in ») comme « déficience », « incapacité », « invalidité », « inadaptation » ou pire : « désavantage », surtout si un peu de commisération s'en mêle. Les réticences à définir le handicap sont, de fait, l'une des expressions d'un refus de les inclure avec « les autres » au sein de notre société. Cela prend parfois la forme d'une identification de caractère administratif, voire bureaucratique, qui nous éloigne d'une perception humaine et éthique de la personne et du phénomène social.

Ces considérations sont importantes, car elles vont guider les politiques sociales face au handicap. Elles mettent les décideurs devant un choix fondamental : ou bien considérer le handicap comme un aspect qui concerne toute la population et prendre des mesures qui concernent toute l'organisation de l'école, du travail, de la vie en collectivité, etc., ou bien faire des lois spécifiques en faveur d'un groupe de personnes considérées comme minoritaires et fragiles qu'il convient de protéger.

Handicap a pour corollaire réadaptation qui est porteur d'espoirs avec sa démarche positive de récupération, de réparation, de compensations et de valorisation de la personne pour un nouvel équilibre de vie.

L'importance des situations de handicap dans les sociétés industrialisées, comme dans les pays en émergence, apparaît, chaque jour, plus considérable. Cette « montée des handicaps » et de l'exclusion a déjà été comparée à une véritable « pandémie » (René Lenoir). Son importance a été nettement sous-estimée. Les causes en sont très diversifiées. L'augmentation de l'espérance de vie, qui est considérable en ce début du XXIe siècle, s'accompagne naturellement de situations de handicap, conséquences de la limitation des aptitudes fonctionnelles qui se manifeste souvent dès la cinquantaine et devient nettement plus marquée à partir de 85 ans. Ce groupe des plus âgés est, de plus, particulièrement exposé à des affections hautement handicapantes que sont la DMLA et la maladie d'Alzheimer. Les personnes plus jeunes en situation de handicap voient leur espérance de vie s'accroître considérablement, à l'instar de la population générale. C'est le cas des personnes trisomiques dont l'espérance moyenne de vie était estimée à 9 ans dans les années 1930 et dépasse actuellement les 60 ans. D'autre part, le développement des services médicaux d'urgence, les nouvelles technologies appliquées aux lésions des organes vitaux tels que le cerveau, le cœur ou l'appareil respiratoire dans des maladies évolutives ont permis des survies naguère inespérées, mais souvent au prix d'une restriction importante des capacités fonctionnelles. C'est le cas, en particulier, des personnes ayant subi un traumatisme cérébral. Malgré cela, un nouveau-né sur trois est handicapé dans les pays pauvres, selon une publication récente du Lancet.

Par ailleurs, les conditions de la vie citadine, les modes de transport, le travail, la montée de la violence, du stress, du harcèlement, de la peur sont responsables d'un nombre important de manifestations pathologiques dominées par les douleurs, qui entrent davantage dans le cadre d'un « malaise » (René Dubos) que d'une maladie. Conjointement, on observe les réactions dépressives, le découragement, la perte de l'élan vital, les effets délétères de médications trop largement prescrites. Elles représentent aujourd'hui, après les effets de l'âge, la cause la plus courante de situations de handicap. C'est le cas des « troubles musculo-squelettiques » (TMS), qui font l'objet de reconnaissances comme maladies professionnelles dans certaines conditions. On y retrouve le « mal de dos », les douleurs du cou, les douleurs périarticulaires. Ces états de « mal-être » jouent un rôle croissant dans la genèse de situations de handicap et d'exclusion du travail. Il faut également prendre en compte les difficultés d'adaptation aux technologies nouvelles du « presse-bouton » du « clic » et du « toucher-glisser » informatiques encore trop peu abordables pour les personnes les plus fragiles ou les moins adroites.

Progressivement, mais difficilement, s'est introduite l'idée que ces pertes ou limitations de capacités, avec leur cortège de handicaps, n'étaient pas le propre d'une minorité mais concernaient toute la population à un moment ou à un autre de son existence, venant relativiser les notions de normal et de pathologique.

Ces observations entraînent une interrogation fondamentale sur la notion de santé et l'on voit émerger un concept nouveau, celui d'« espérance de vie sans incapacité » ou du « bien-vieillir », dans lequel l'état de santé est non seulement mesuré en termes de mortalité ou de maladies, mais aussi en termes de capacités fonctionnelles des personnes et de situations de non-handicap. Les victoires du système de santé sur les atteintes provoquées par les maladies et les accidents se transforment en déroute lorsqu'elles se font au prix de moindres capacités de l'individu et donc d'un mauvais état de santé qui aboutit à d'authentiques états de « mort sociale ». Depuis quelques années, s'est imposée, en application de la définition de la santé par l'OMS comme « un état de bien-être complet », la notion de « qualité de la vie » qui se superpose, en fait, avec celle de situation de handicap telle que nous la développons.

Ces trois dernières décennies, un effort important a été fait pour clarifier les concepts, préciser le vocabulaire et créer les outils qui doivent permettre de mieux comprendre ce qu'on pourrait appeler l'*handicapologie* et la *réadaptologie*.

L'Organisation des Nations unies, en déclarant 1981 « Année internationale des personnes handicapées », a déclenché un mouvement d'intérêt dans un grand nombre de pays. Cela s'est traduit par des enquêtes qui ont contribué à mieux saisir la réalité des personnes handicapées et à la faire connaître au grand public. Les gouvernements ont souvent réagi en promulguant des textes législatifs.

La France n'avait pas attendu l'année internationale pour mettre en place une construction juridique complexe et généreuse dominée par le concept de solidarité et d'assistance : la loi d'orientation en faveur des personnes handicapées du 30 juin 1975 qui a voulu impliquer chaque citoyen, chaque famille, chaque organisme privé ou public en faisant de l'insertion des personnes handicapées une « obligation nationale ».

Sur le plan international, le programme mondial d'action des Nations unies concernant les personnes handicapées reconnaît la nécessité d'une « participation complète » des personnes handicapées et d'une « égalité d'opportunités » identique à celle de l'ensemble de la population[1].

Une décennie (1983-1993) de la personne handicapée est décrétée par l'Assemblée générale de l'ONU en décembre 1982. Les retombées seront minimes. Les textes remarquables qui ont été produits ont été longtemps méconnus ou ignorés. Ils restent d'actualité.

2003 a été déclarée « Année européenne des personnes handicapées ». C'est dans ce contexte que se situe l'événement international, à notre sens, le plus important jusqu'ici, aboutissement de toutes les réflexions des

---

1. Manuel portant sur l'égalisation des chances pour les personnes handicapées, New York, Nations unies, 1986.

chercheurs, des mouvements associatifs et des professionnels : la *Déclaration de Madrid*, en avril 2002 : « Non-discrimination plus action positive font l'inclusion sociale. » Elle est le résultat d'un consensus entre le Forum européen des personnes handicapées, la présidence espagnole de l'Union européenne et la Commission européenne. Elle est signée par 600 participants de 34 pays réunis à l'occasion du Congrès européen des personnes handicapées. Elle vise à « opposer cette nouvelle approche à l'ancienne qu'elle tend à remplacer » et l'abandon d'un certain nombre d'« idées préconçues » sur les personnes handicapées, notamment sur « […] la déficience comme seule caractéristique de la personne handicapée », en mettant l'accent sur les aptitudes et non pas les inaptitudes (au travail, par exemple) et la promotion « […] d'actions économiques et sociales pour le petit nombre des personnes handicapées pour en venir à la conception d'un monde pour tous ».

Le 14 juillet 2002, pour la première fois, un président français fraîchement élu, Jacques Chirac, a fait du handicap l'un des trois « chantiers » de son nouveau mandat. Le fait doit être souligné, même si les résultats ne sont pas à la hauteur des espoirs que la déclaration présidentielle a suscités.

Toutes ces actions, dans le domaine du handicap, impliquent une définition très claire du phénomène. Les confusions et échecs successifs s'expliquent, pour l'essentiel, par l'absence d'accord sur une définition opérationnelle dont la rigueur doit se traduire dans les instruments de mesure et d'évaluation.

De ce point de vue, une grande confusion a régné et continue à se manifester, mélangeant volontiers les causes et les conséquences, le médical et le social en oubliant souvent la principale intéressée : la personne en situation de handicap.

Cette confusion de langage est un obstacle majeur au développement dans le domaine de la santé et dans le domaine social des actions pour l'insertion-inclusion des personnes qui vivent les situations de handicap.

Plusieurs chercheurs ont pris conscience de l'ampleur du problème Saad Zergloub Nagi[1] (États-Unis) en 1965 apparaît comme un précurseur en reliant maladie et *disability* dans un débat qui sera accaparé par les épidémiologistes chargés de classer les maladies à l'Organisation mondiale de la santé (Classification internationale des handicaps en 1980, puis Classification internationale du fonctionnement du handicap et de la santé en 2001 et en 2008 pour la version enfants et adolescents). Plusieurs équipes (Pierre Minaire de Saint-Étienne, Patrick Fougeyrollas de Québec, nous-même avec notre groupe international de recherche, en particulier Teresa Magalhaes de Porto, Louise Gagnon de Montréal, Marie de Jouvencel de Paris et Mejda Hamadi de Tunis) ont développé divers modèles conceptuels qui n'ont que partiellement contribué à influencer les définitions des organismes internationaux et de la nouvelle loi française de 2005. À la perception trop médicalisée et trop centrée sur les déficits et les manques, ils opposent une nouvelle vision plus humaine de la personne en situation de handicap qui met en avant ses capacités et non plus seulement ses manques. Dans le « Système d'identification et de mesure du handicap » (SIMH), que nous proposons, nous avons introduit, depuis 1999, une quatrième dimension qui n'était, jusque-là, pas mentionnée : la « subjectivité », considérant qu'un point essentiel pour la participation sociale était ce que la personne concernée percevait d'elle-même et de sa position dans la société. Le poids culturel des préjugés et des représentations sociales joue ici un rôle très puissant comme l'a montré parfaitement Katerina Stenou[2]. Ainsi, on observe un retour constant vers la déficience et l'infirmité, surtout de

1. Saad Z. Nagi, « Some Conceptual Issues in Disability and Rehabilitation », *Sociology and Rehabilitation*, American Sociological Association, 1995.
2. K. Stenou, *Images de l'autre. La différence : du mythe au préjugé*, Paris, Le Seuil-Unesco, 1998.

la part des médecins, mais aussi de certaines associations marquées par la notion de maladie.

Notre expérience a été acquise principalement tout au long de la pratique quotidienne de la médecine de réadaptation et des expertises judiciaires de victimes de dommages corporels. Elle a été complétée par le travail effectué dans des commissions et groupes de réflexion nationaux et internationaux (universités, associations, ministères, collectivités territoriales, Europe, OMS), ainsi que des applications à la recherche de ces conceptions nouvelles. Nous espérons contribuer, avec la huitième édition de cet ouvrage, à une approche à la fois plus simple et plus complète d'un phénomène inhérent à l'évolution des sociétés humaines : le handicap. Nous sommes tout à fait conscient qu'un tel développement conduit à une révision importante des concepts de santé, de soins, de médecine, de maladie et de guérison.

Nous sommes persuadé, aussi, que l'abord par le handicap est véritablement une « clé » pour mieux comprendre les besoins de l'être humain dans notre monde en ce début de XXIe siècle et pour développer une nouvelle façon de concevoir le bien-être de l'individu au sein de sa communauté. Il s'agit d'un chemin privilégié pour comprendre les interactions entre santé, culture et société.

Ces interactions, qui génèrent la pauvreté, sont parfaitement exprimées dans ce texte de la Banque mondiale :

« Les personnes souffrant d'une déficience physique ou mentale sont souvent handicapées, non pas à cause d'une pathologie, mais parce qu'elles se voient refuser l'accès à l'éducation, au marché de l'emploi et aux services publics. Cette exclusion les condamne à la pauvreté et les plonge dans un cercle vicieux, où la précarité constitue elle-même une cause de handicap, du fait qu'elle expose davantage ces personnes à la malnutrition, à la maladie et à des conditions de vie et de travail insalubres. »

Les diverses approches par la médecine physique et de réadaptation, la gériatrie-gérontologie, la pédiatrie, la psychiatrie, la psychologie, la neuropsychologie, l'économie, l'aspect réglementaire législatif et administratif du handicap, malgré leurs diversités, ont cependant un objet commun : *l'homme en situation de handicap* et ses proches qui sont également impliqués. Nous n'avons pas la prétention, dans cet ouvrage, d'être exhaustif dans un domaine en bouillonnement permanent, mais nous avons celle d'apporter une clarification des concepts tout en leur donnant une unicité, quelle que soit la cause du handicap, et une universalité. Nous proposons aussi une méthode d'identification des problèmes posés, étape indispensable mais pas encore franchie.

Vingt-cinq ans après la première édition (1990) de ce « Que sais-je ? », il y a eu des changements importants en France (loi du 11 février 2005), dans le monde avec le programme mondial (« Pleine participation et égalisation des chances ») et les avancées de la réflexion sur les droits de l'homme et le handicap, en Europe, avec la déclaration de Madrid (« Non-discrimination + action positive font l'inclusion sociale »). Il n'en reste pas moins que dans un domaine aussi révélateur de la participation au monde du travail, les personnes handicapées (21 %) sont, après les gens du voyage et les personnes d'origine étrangère (29 %), les plus discriminées (Rapport de la Halde, mai 2009), bien avant l'âge (5 %) et le sexe (4 %), comme si, précisément, elles étaient des étrangères à la société, ce qui rejoint bien l'expression de Murphy, « ni en dehors de la société ni pleinement à l'intérieur ».

CHAPITRE PREMIER

Handicap : naissance et progression singulière d'un mot porteur de progrès[1]

> « Et, en effet, puisqu'on doit discourir des choses et non pas des mots, et que la plupart des contrariétés s'ensuivent de ne pas entendre, et d'envelopper dans un même mot des choses opposées, il ne faut qu'ôter le voile de l'équivoque et regarder. »
>
> Molière,
> préface de *Tartuffe*.

Pour mieux comprendre la notion de « handicap », il est utile de retracer les origines et le parcours sémantique insolite de ce mot de la langue française, issu de la contraction de trois mots de la langue anglaise : *hand in cap* (« la main dans le bonnet ou la casquette »).

Origines : d'un système d'échanges aux courses hippiques puis au golf. – Son origine est britannique. Il est apparu, pour la première fois, dans la langue anglaise au XVIIe siècle, son usage dans le monde hippique sera plus tardif (XVIIIe siècle). Le nom de « handicap » a été donné à une pratique d'échange, dans laquelle une personne propose d'acquérir un objet familier qui appartient à une autre personne, en lui offrant, en échange, quelque chose qui lui appartient. C'est un chroniqueur anglais, Samuel Pepys, qui a fait la première mention

---

1. Dans le langage courant, le droit, les organisations internationales, les milieux associatifs et... la recherche.

(1660) du *handicapp* (avec deux *p*) à propos de ce type d'échange d'objets personnels qu'il a observé à la *Mitter Tavern*, à Londres. Un arbitre est désigné pour apprécier la différence de valeur entre les deux objets. Lorsqu'il a fixé le montant, la somme d'argent correspondante est déposée dans un couvre-chef. Le rôle de ce dernier, qui a d'ailleurs reçu plusieurs interprétations, est aléatoire, mais c'est lui qui a donné le qualificatif de *à parts égales*. L'acteur important est, en fait, le *handicapper*, c'est-à-dire l'arbitre.

C'est en 1754 que le mot est appliqué à la compétition entre deux chevaux puis, en 1786, à des courses de plus de deux chevaux.

En 1827, le terme traverse la Manche avec une terminologie spécifique des courses de chevaux telle qu'elle est référencée par T. Bryon dans son *Manuel de l'amateur de courses* : « Une course à handicap est une course ouverte à des chevaux dont les chances de vaincre, naturellement inégales, sont, en principe, égalisées par l'obligation faite aux meilleurs de porter un poids plus grand. » On voit ainsi apparaître la notion d'« égalisation » des chances. C'est avec ce sens qu'il est mentionné dans le supplément de la première édition du *Littré*, en 1877. Les littérateurs, André Maurois en particulier, l'ont emprunté au monde élégant des champs de courses en lui donnant le lustre littéraire qui l'a conduit à entrer à l'Académie française dès 1913 ; il figurera dans les éditions de 1935 et de 2000 de son *Dictionnaire*.

D'autres domaines de la compétition sportive l'ont adopté : cyclisme, tennis, golf, polo, nautisme et bowling. Très tôt apparaissent des dérivés : *handicaper* (1854), *handicapeur*, terme désignant le commissaire qui détermine les handicaps (longueurs supplémentaires à parcourir, charges additionnelles) (1872), *handicapage* (1906).

De la possibilité donnée aux chevaux les moins favorisés de gagner, à l'égalisation des chances dans les sociétés humaines. – Il est difficile de dater la période de l'extension de l'utilisation du mot « handicap » aux conséquences des altérations des capacités humaines. Il semble que cette évolution soit tardive ; en tout cas, postérieure à 1906. L'apparition de l'expression « handicap physique » est datée de 1940 par le dictionnaire *Le Robert*[1].

« Handicap », « handicapé » et « handicaper » figurent maintenant dans tous les dictionnaires de la langue française avec un double sens.

« Le sens originel de l'anglicisme "handicap" est, bien entendu, celui d'une course où l'on rétablit, par un artifice, les inégalités naturelles. Par la suite, la notion d'"égalité" devrait dominer, mais c'est celle de désavantage qui l'emporte : entendez désavantage dans une concurrence. L'idée de concurrence s'est effacée peu à peu et la sonorité sèche du mot achève de lui donner une nuance défavorable. » On entend couramment des phrases de ce genre : « Il a eu un accident d'auto et le voilà très handicapé. Certes, on pense encore que c'est une infériorité dans la lutte pour la vie que d'être infirme ou malade. Mais le glissement du mot est incontestable et il est à ranger sous la rubrique des anciens anglicismes, ceux qui ont cessé de l'être. » (A. Thérive, *Querelles de langage*, 1940.)

L'usage du mot « handicap » se banalise. – Ces dernières décennies, nous avons assisté à son utilisation de plus en plus large dans le langage courant.

Le journal *Libération* du 14 septembre 1989 publiait ce commentaire d'un journaliste de TF1 : « La France rame toujours pour remonter son handicap chômage. » Ailleurs, un archéologue qui commente, dans un montage audiovisuel, une exposition au Grand Palais en 1989, déclare : « Un handicap majeur est que la bande de terrain destinée aux fouilles n'est pas assez large » (il s'agit de fouilles faites à l'occasion de travaux pour une

---

1. *Dictionnaire des anglicismes*, Dictionnaires *Le Robert*, 1984, p. 376-377.

autoroute). Le 1er janvier 1990, le leader palestinien Y. Arafat, interviewé par la télévision française à propos de ce qu'on a appelé la « guerre des pierres » en Palestine, a donné le nombre de morts, de blessés, mais aussi de *handicapés*. Il faut mentionner que le terme « personne » n'est pas encore passé dans le vocabulaire de tous les journalistes des stations de radio qui continuent à parler des « z'handicapés » et pas encore des « personnes handicapées », contribuant ainsi, involontairement, à leur stigmatisation en utilisant un adjectif pour parler d'eux. « Personnes en situation de handicap » est cependant de plus en plus utilisé.

Cette banalisation contribue à réduire la connotation stigmatisante d'un mot qui résiste, malgré de constantes attaques, à l'épreuve du temps et des hommes dans la langue française. Cela n'est pas le cas en anglais et en américain où il est détrôné par *disability*, parce que considéré comme dévalorisant et socialement « incorrect ». *Disability*, qui a pour origine un mot de la langue française, est intraduisible, aujourd'hui, dans cette langue.

La notion de « situations de handicap » devrait contribuer à contrer les aspects négatifs en montrant, comme le laisse pressentir *disability* avec son préfixe en « dis- » et non en « in- », qu'il s'agit d'un état de déséquilibre qui peut donc être compensé. Cette compensation étant le maître mot de la loi française du 11 février 2005. L'évolution n'est pas terminée, puisque, aux États-Unis, on tend à parler de personnes avec un *challenge* au lieu de *disabled persons*, insistant sur l'aspect dynamique et « gagneur ».

Les associations choisissent le mot « handicap » pour s'identifier. – Progressivement, les associations ont inscrit le mot « handicap » dans leur intitulé : Handicap International, Association pour les adultes et jeunes handicapés (APAJH), Groupement pour l'insertion des handicapés physiques (GIHP), Comité national français de liaison pour la réadaptation des handicapés (CNFLRH, puis CNRH) (qui a malheureusement disparu), Fédération des associations des gestionnaires d'établissements de réadaptation pour handicapés (FAGERH), Association de gestion des fonds d'insertion des personnes handicapées (AGEFIPH). L'Association d'entraide aux polios (ADEP) est devenue Association d'entraide aux polios et handicapés (ADEPH). L'exemple est suivi par l'Amicale marocaine des handicapés (AMH, 1991) et par le ministère de la Solidarité nationale de Tunisie qui crée l'Institut de promotion des handicapés (IPH) à la même période. Beaucoup (APF, APAJH) utilisent couramment la terminologie de « personne en situation de handicap », ce qui indique une nette évolution des discours.

Le mot « handicap » devient un terme juridique et du langage administratif et politique. – Parallèlement, le *langage juridique* s'est approprié le mot « handicap ». André Dessertine[1] en a retracé la carrière juridique : c'est en 1957 qu'il apparaît pour la première fois dans le droit français à propos d'une loi sur les « travailleurs handicapés ».

Depuis, il a été largement utilisé et a acquis sa consécration avec la « Loi d'orientation en faveur des personnes handicapées » du 30 juin 1975 qui, pourtant, ne le définit pas. La nouvelle loi française « Égalité des droits et des chances et pleine citoyenneté des personnes handicapées » du 11 février 2005, en revanche en donne une définition.

Dans le même temps, on a vu progressivement disparaître des textes législatifs et réglementaires les termes les plus stigmatisants tels que « débile », « infirme ». En revanche, la notion d'« invalidité » subsiste parmi les termes utilisés par les caisses de sécurité sociale et les administrations. Le nouveau texte sur les « incapables majeurs », par la loi du 5 mars 2007 portant réforme

---

1. *Handicap et Droit*, Paris, Les Publications du CTNERHI, 1985.

de la protection juridique des majeurs, a fait disparaître l'expression « incapable majeur » qui figurait dans le précédent texte de la loi de 1968.

Les pouvoirs publics l'adoptent à travers des rapports officiels. Les grandes administrations ont commandé depuis quelques années un grand nombre de rapports sur le thème du handicap qui sont l'expression de la progression de la place des personnes en situation de handicap dans la vie sociale. À ce titre, ils sont d'une très grande richesse sociologique :

– dès 1967, le rapport Bloch-Lainé (*Étude du problème général de l'inadaptation des personnes handicapées*) et, en 1971, le rapport des commissions du VIe Plan (*Handicapés inadaptés*) ;
– *Bilan de la politique menée en faveur des personnes handicapées* (Cl. Lasry, M. Gagneux, 1982) ;
– *Accessibilité des transports et de la ville aux personnes handicapées*, rapport au Premier ministre par J. Fraysse-Cazalis, 1982 ;
– *Insertion des handicapés dans la fonction publique* (Ch. Hernandez, 1983) ;
– *L'Intégration scolaire des enfants et adolescents handicapés* (Henri Lafay, 1987) ;
– *Rapport du groupe de travail sur l'harmonisation des modes d'évaluation et de réparation du handicap* (J.-C. Sournia et H. M. Belouhey, 1987) ;
– rapport au Conseil économique et social (1992), *Le Potentiel productif des personnes handicapées. Conditions sociales et technologiques de sa valorisation.*

Ces dernières années, les rapports rédigés se sont axés sur le cadre de vie (situations de handicap et cadre de vie de Vincent Assante au Conseil économique et social 2000), l'Europe (rapport Michel Fardeau, 2001), l'insertion au travail (conseil économique et social, 2003), La vie avec un handicap (rapport de la Cour des comptes au président de la République, 2003), La recherche, thème initié en 1989 (« Technologies de l'humain, proposition de programme », ministère de la Recherche et de la Technologie, Georges Broun et Claude Hamonet), on trouve sur ce thème : rapport sur la recherche technologique et la diffusion de « l'innovation technologique au service du handicap », par Philippe Thoumie (2003), un rapport sur « la structuration de la recherche sur le handicap » par Michel Fardeau (2004) et le rapport de l'Observatoire national sur la formation, la recherche et l'innovation sur le handicap, ministère de la Santé (2008.)

Bien des documents récents sur le handicap, à dimension européenne ou plus largement internationale, sont dus à l'initiative des milieux associatifs de personnes handicapées organisées en groupes de réflexion et/ou de coordination, en lien avec des universitaires, et elles se sont efforcées de faire entendre leur voix à travers des manifestes, des déclarations, des rapports d'études. C'est le cas de « Handicap et exclusion sociale dans l'Union européenne » (Forum européen des personnes handicapées, 2000) et surtout de la « Déclaration de Madrid » (2002), véritable clef de voûte pour la construction d'une Europe accessible à la pleine participation sociale des personnes handicapées.

Ce qui est remarquable, c'est que le mot « handicap », même discuté, a joué un rôle fédérateur pour globaliser une démarche commune contre l'exclusion sociale concernant aussi bien les personnes handicapées physiques, psychiques, sensorielles (sourds, aveugles) que mentales.

Les organismes internationaux officialisent et reconnaissent le handicap. – L'Organisation des Nations unies (ONU), après avoir choisi 1981 comme année internationale des personnes handicapées, a adopté lors de son Assemblée de décembre 1982 un *Programme mondial d'action sur les personnes handicapées* et a décrété 1983-1993 décennie des personnes handicapées. En 1994 sont adoptées les *Règles pour l'égalisation des* *chances des handicapés.* Il en résultera un « Programme des Nations unies pour les personnes handicapées : pleine participation et égalité des chances ». Les objectifs sont les suivants : « Promouvoir la participation pleine et entière des handicapés à la vie sociale et au développement ; améliorer les droits des handicapés et protéger leur dignité ; promouvoir l'égalité d'accès à l'emploi, l'éducation, l'information, aux biens et aux services. Le Programme de l'ONU pour les personnes handicapées sert également de secrétariat pour le Comité spécial de l'Assemblée générale en vue de l'élaboration d'une convention internationale pour la promotion et la protection des droits et de la dignité des personnes handicapées. »

Plus récemment, l'année 2003 a été choisie comme année européenne des personnes handicapées.

La participation des associations de personnes handicapées dans la promotion internationale des personnes en situation de handicap n'a cessé de s'amplifier et de s'affirmer. C'est le cas d'International Inclusion qui fédère 200 associations de personnes handicapées mentales dans 125 pays, de l'Union mondiale des aveugles (600 organisations dans 160 pays), de la Fédération mondiale des sourds, de la Fédération internationale des communautés de l'Arche de Jean Vannier, de Handicap International (8 pays riches, une multitude de pays pauvres), de Réhabilitation internationale avec 1 000 associations dans 100 pays. Certaines associations de pays émergents y sont particulièrement actives : au Maroc avec l'Amicale marocaine des handicapés, en Algérie avec la Fédération algérienne des handicapés moteurs. C'est à un vaste mouvement mondial pour plus d'autonomie et pour l'égalité l'on assiste. « On trouve des handicapés dans toutes les régions du monde et dans toutes les catégories sociales. Le nombre des handicapés est élevé et augmente encore dans le monde entier » (introduction au Programme mondial). Une journée annuelle des personnes handicapées est programmée le 3 décembre 2009 dans le contexte du Programme mondial.

L'Organisation mondiale de la santé, lors des travaux (P. H. N. Wood, A. Grossiord) menés sur un projet de classification qu'elle a entrepris de 1975 à 2001, a d'abord utilisé le mot « handicap » (1980) puis l'a remplacé, dans la version anglaise de la Classification internationale du fonctionnement, du handicap et de la santé (CIF, 2002), par *disability*, mais elle a maintenu « handicap » dans la version française. Il en est de même dans la version pour enfants et adolescents (CIF-EA) de 2008.

Le handicap devient (avec beaucoup de difficultés) un objet scientifique de recherche et d'enseignement. Le handicap a les plus grandes difficultés à se faire reconnaître comme un champ de recherche, de même que les personnes en situation de handicap ont les plus grandes difficultés à se faire identifier comme étant des personnes et à trouver leur place dans la société. La raison est la même, elle est conceptuelle : il s'agit de s'entendre sur ce que c'est précisément que d'être handicapé, de bien décrire le processus qui conduit à l'exclusion sociale et de connaître les facteurs qui sont en cause à la fois du côté de la personne (incluant sa subjectivité) et du côté de son cadre de vie. Cette difficulté revêt souvent, comme nous l'avons vécu nous-même, la forme d'un rejet global : « Le handicap n'est pas un objet de recherche », ou catégoriel : si l'on s'adresse au domaine de la santé, on se fait répondre : « C'est du social ! » (« C'est de la philosophie », m'a même commenté un professeur de médecine !), mais, si l'on s'adresse au « secteur social », la réponse fuse, surtout si vous êtes médecin : « C'est médical et pas social ! » Bref ! Personne n'en veut et beaucoup pensent finalement que ce n'est pas intéressant pour des chercheurs ! En tout cas, le handicap n'apparaît pas comme un sujet « noble » de recherche ni comme un objet de publication pour les revues internationales propres à donner des points aux commissions universitaires et des *impact's factors* performants. Le principal obstacle à la recherche sur le handicap viendrait des chercheurs eux-mêmes et des institutions de la recherche. Et pourtant... il y a longtemps que les législateurs et ceux qui les ont inspirés ont mis l'accent sur la recherche en créant, dès 1957, un « Conseil supérieur pour le reclassement professionnel et social des handicapés » avec, parmi ses attributions, la promotion de la recherche. Le rappel (ou l'appel) à la recherche est constant. Il figure dans le rapport de la Cour des comptes de 2003 qui souligne son développement insuffisant.

Le terme est repris dans le monde administratif et scientifique. C'est ainsi qu'on le trouve pour désigner des structures d'études et de recherche liées au ministère des Affaires sociales : Centre technique national d'études et de recherche sur les handicaps et inadaptations (CTNERHI) qui publie la revue *Handicap et société* et organise de nombreux groupes de travail, séminaires et colloques telle la plate-forme nationale sur les situations de handicap initiée par E. Zucman en 1984 et *Les Enjeux de la classification internationale des handicaps* en 1998.

Un diplôme d'études approfondies (DEA) et une école doctorale, destinés à former des chercheurs, ont été créés en 1985, à la faculté de médecine de Dijon, avec, pour intitulé : « Sciences et techniques appliquées aux handicaps et à la réadaptation ». En 1987, au Conservatoire national des arts et métiers à Paris, se crée une chaire dénommée « Insertion sociale des personnes handicapées »[1].

Depuis, plusieurs formations universitaires, par la recherche et pour la recherche, ont mis dans leurs intitulés le mot « handicap ». C'est le cas des psychologues (création de DESS puis de LMD) mais aussi des

1. *Biologie, médecine, technologie et sciences sociales. Leurs interactions dans l'analyse du handicap*, leçon inaugurale du professeur M. Fardeau, Paris, Conservatoire national des arts et métiers, 1989.

médecins avec l'introduction difficile dans le nouveau programme des études médicales d'un module « Handicap ». L'université de Paris-12, à Créteil (robotique et handicap avec le projet « Spartacus » qui devient vite fédératif, et évaluation du handicap avec le laboratoire Athéna), l'université de Nanterre (éthologie et handicap), celle de Toulouse (autour de la cécité), celle de Lyon-II-Louis-Lumière (Collectif de recherches : Situations de handicap, Éducation, Sociétés), celle de Lille (biomécanique) s'engagent très délibérément, en sciences humaines, dans la recherche sur le handicap créé. En 2004, à la faculté de médecine de Créteil, s'est créé un diplôme d'université « Handicap : fragilité et réadaptation » incluant réadaptation médicale et sociale. En 2005 se crée à l'université de Paris-8 un master « Technologie et handicap ».

Des laboratoires de recherche s'y consacrent, mais ils sont encore très peu nombreux, trop dispersés, trop peu soutenus par les grands organismes nationaux de recherche et bien éphémères. Il faut mentionner, à cet égard, l'effort considérable du Québec qui a placé, dès les années 1980, le handicap et la réadaptation dans ses priorités en santé et a organisé (Fonds de recherche en santé au Québec) un réseau national de recherche sur la réadaptation et le handicap. Et tout récemment (2004) s'est mis en place à l'université de Sherbrooke, à Montréal, un master réadaptation destiné à promouvoir la recherche.

En France, l'Institut national scientifique d'études et de recherches médicales (INSERM) réalise en 1985 un volumineux rapport intitulé *Réduire les handicaps*. Ce même Institut national crée, en 1987, une inter-commission spécialisée dans l'examen des projets et données de recherche concernant le handicap puis, en 1993, un Institut fédératif de recherche sur le handicap (IFRH) officialisé le 1er janvier 1995. En 2008, c'est la création d'un Réseau fédératif de recherches sur le handicap (RFRH, http:/rfr-handicap.inserm.fr),

INSERM-CNRS-Universités-CTNERHI-Institut Garches sous la coordination du ministère de l'Éducation nationale, de la Recherche et de la Technologie. Il regroupe 27 équipes en France. Cet effort de coordination et de regroupement est une des caractéristiques de la démarche handicap à la recherche de son unicité indispensable pour être cohérente et efficace. C'est à partir des personnes handicapées elles-mêmes, à travers leurs associations, que l'on voit se dessiner un nouveau courant qui se caractérise par la globalisation de la recherche sur le handicap quelle qu'en soit l'origine, la participation des personnes handicapées à ces recherches et surtout la définition d'un champ spécifique (encore en discussion) au handicap et aux personnes en situation de handicap. Il faut y voir la conséquence de la progression des idées sur cette question : aborder le handicap par les situations de handicap. Cela a également abouti à l'intégration dans le même texte, par la loi du 11 février 2005, des personnes dites handicapées psychiques et des personnes avec une amputation de membre au motif que l'une et l'autre ont une difficulté de participation sociale. Cette loi a aussi créé un Observatoire national sur la formation, la recherche et l'innovation sur le handicap. La recherche est donc bien présente, depuis 1957, dans les préoccupations des législateurs. On la retrouve avec le fonctionnement de la Caisse nationale de solidarité pour l'autonomie (CNSA) qui a ouvert, le 24 septembre 2009, un appel permanent de recherches sur le handicap et l'autonomie.

C'est dans cet esprit, aussi, que s'est créée en 2009 la Fédération internationale du handicap, à l'initiative de trois organismes associatifs : la Fédération d'associations gestionnaires d'établissements et associations gestionnaires d'établissements et services pour personnes handicapées (FEGAPEI), l'Association pour adultes et jeunes handicapés (APAJH) et l'Association des paralysés de France (APF). Son président est un chercheur et humaniste de grand renom : le professeur Axel Kahn, généticien, président de l'université de Paris-5-René-Descartes. Elle s'est fixé pour objectifs : « Favoriser la recherche pour l'élaboration et la mise en œuvre de réponses adaptées aux personnes handicapées, quels que soient leur âge et leur lieu de vie, ainsi qu'à leurs familles, dans un contexte français, européen et international, et dans le respect notamment de la mise en application des droits tels qu'énoncés dans la Convention internationale des Nations unies relative aux droits des personnes handicapées » (article 1 des Statuts). Il faut aussi faire mention d'Alter (Société scientifique internationale sur l'histoire des infirmités, déficiences, inadaptations et handicaps) et de l'Association internationale de recherche scientifique en faveur des personnes handicapées mentales (AIRHM).

Après avoir défini le champ de la recherche, il conviendra de convaincre les chercheurs institutionnels, notamment de la biologie humaine et de la médecine, que cet exercice différent, et singulièrement difficile, de la recherche appliquée à l'homme peut être, lui aussi, rigoureux. Cela pose la question du choix des outils appropriés de mesure et d'évaluation et de ce qu'ils doivent mesurer – et, donc, du concept de « handicap ».

C'est peut-être principalement par sa reconnaissance en tant que discipline de recherche que le handicap trouvera son identité et la notoriété qu'il mérite, et qu'il ne sera plus, selon la jolie formule de Patrick Fougeyrollas, « le poisson qui échappe et que l'on cherche à toujours attraper ». Il conviendra aussi de faire le départ entre les recherches qui s'inscrivent directement dans le champ du handicap et celles qui ont des retombées pour les situations de handicap notamment en prévention (accidentologie) et économie (lutte contre le chômage).

CHAPITRE II

Le handicap entre société et santé : abord médical ou approche sociale ?

« Dans le modèle social, par contre, le handicap est perçu comme étant principalement un problème créé par la société et une question d'intégration complète des individus dans la société. Le handicap n'est pas un attribut de la personne, mais plutôt un ensemble complexe de situations, dont bon nombre sont créées par l'environnement social. »

Introduction à la Classification internationale des fonctionnements, des handicaps et de la santé, CIF, OMS, 2001.

« Les maladies chroniques et les pathologies invalidantes ont, dans les sociétés industrialisées, un retentissement croissant sur la vie quotidienne : le handicap y est désormais une question sociale, sociétale et politique de premier plan. »

Rapport de l'Observatoire national sur la formation, la recherche et l'innovation sur le handicap, ONFRIH, 2008.

Les réflexions et les recherches sur une définition opérationnelle du handicap sont relativement récentes. La question peut être présentée sous un double éclairage, comme le précise très bien le professeur

Chemillier-Gendreau[1] lorsqu'il écrit : « La question est de savoir si le handicap est un concept sanitaire résultant de la constatation d'une déficience physique ou un concept social résultant seulement d'un préjudice économique. »

De l'exclusion des chroniques et des incurables aux personnes en situation de handicap

Du côté de la société...
Essai d'analyse des réactions sociales face aux « infirmes » et « inadaptés »

De ce côté, ce sont la discrimination et l'exclusion qui dominent. Nous considérons que c'est dans ce gisement culturel archaïque que prennent leurs racines les préjugés qui sont le moteur du rejet des personnes en situation de handicap.

Infirmité, monstruosité et impureté. – Le terme « infirme » vient du latin *fermus* (« ferme ») et désigne celui qui n'est pas ferme, qui est faible. L'imperfection du corps est culturellement associée à celle d'impureté de l'âme. On en trouve les origines dans le Lévitique : « Tout homme qui a en lui une tare ne peut approcher, qu'il soit aveugle ou boiteux, défiguré ou disproportionné, ou bien un homme qui a une fracture du pied ou une fracture de la main, ou s'il est bossu ou atrophié, s'il a une tache dans son œil, s'il est galeux ou dartreux, s'il a un testicule broyé, tout prêtre qui a une tare... ne s'avancera pas pour offrir les sacrifices par le feu à Iahvé » (Lévitique XXI).

Les lépreux sont particulièrement visés ; dès que le diagnostic de lèpre est posé par le prêtre, ils sont déclarés impurs et devront vivre à distance du camp, déchirer leurs vêtements et crier « impurs, impurs » lorsqu'ils doivent traverser le camp. Ce tabou sera levé par le Christ qui

1. « Le rôle des médecins dans la qualification du handicap », *Panorama du médecin*, n° 2739/274/88.

embrassera les lépreux et fera marcher les paralytiques et voir les aveugles, mais l'Église reprendra les interdits anciens vis-à-vis des ladres ou lépreux qui, reclus dans leur maladrerie, devront s'annoncer au son de la cliquette pour que les passants s'écartent d'eux. Pis, après la disparition de la lèpre, ce sont les cagots (*agotes*, en espagnol) qui remplaceront les lépreux dans les mêmes lieux sans qu'aucune raison médicale ne distingue ces nouveaux parias contraints jusqu'à la Révolution française à vivre dans des quartiers spéciaux, à se marier entre eux et à pratiquer certains métiers (charpentiers dans le Sud-Ouest, cordiers en Bretagne) qui serviront parfois à les désigner. Ces « lépreux blancs » étaient aussi des exclus de la religion qui les reléguait au fond des églises avec une entrée spéciale dite porte des « cagouz » (« lépreux », en breton) en Bretagne ou en queue de procession et leur interdisait l'enterrement dans les cimetières chrétiens. On leur reprochait aussi de ne pas être de vrais chrétiens, mais des musulmans ou des juifs faussement convertis. Ils étaient suspects d'impureté et de dangerosité. Il faut rapprocher de cela les représentations physiques des « méchants » qui ont souvent un bras, un œil ou une jambe en moins comme c'est le cas dans *L'Île au trésor* de Stevenson portée à l'écran par Walt Disney. Cette notion de « difformité » rejoint parfois celle de monstruosité qui, à la fois, fascine et terrifie, objet d'étude dès Ambroise Paré, fondateur de la chirurgie au XVIᵉ siècle, suivi par bien d'autres, dont Charcot, et de répulsion que l'on retrouve comme représentation du mal au seuil de nos plus belles cathédrales comme celle de Strasbourg. Cette peur du monstre, on la retrouve chez les mères qui enfantent et qui redoutent avant tout la naissance d'un enfant « anormal » à la place du « bébé parfait » dont elles rêvaient comme Pirandello l'a magnifiquement montré dans *L'Enfant échangé*.[1] La notion d'« impureté » va de pair avec celle de « souillure »,

---

1. L. Pirandello, « L'enfant échangé », *Nouvelles*, Paris, Gallimard, coll. « La Pléiade », 1996.

si bien décrite par l'anthropologue italo-britannique Mary Douglas dans *Purity and Danger*[1].

Cette approche permet de mieux saisir les parallèles entre normal et pathologique, sain et malsain ou malade, propre et souillé, pur et impur, et de comprendre la tendance, développée surtout par le corps médical, à considérer les différences corporelles et fonctionnelles comme des « déficiences » ou des « déchéances » (selon l'expression de G. Canguilhem) plutôt que comme des singularités très souvent compatibles avec une vie « normale » lorsque le cadre de vie ne s'y oppose pas.

Toutes ces considérations interviennent dans les mécanismes d'exclusion et conduisent à des situations d'isolement, d'enfermement (Michel Foucault) qui vont jusqu'à une véritable « mort sociale ». Cette expression est devenue à la mode à l'occasion des situations d'isolement extrême vécues par les personnes très âgées lors de la terrible canicule mortifère de l'été 2003. Dans l'*Histoire de l'humanité*, cette exclusion est même allée jusqu'à la mort chez les Spartiates qui tuaient, à la naissance, les enfants « malformés », donc impropres à se battre, et chez les nazis qui ont organisé l'extermination systématique des porteurs d'infirmités physiques ou mentales[2].

Stigmatisation et infirmité. – L'aboutissant commun de ces identifications physiques ou mentales négatives et de leurs connotations morales tient en un seul mot : la stigmatisation qui a pour corollaire la discrimination qui est le moteur de l'exclusion sociale. Nous développerons plus loin ses divers aspects incontournables si l'on veut comprendre ce qui arrive lorsqu'on naît ou lorsqu'on devient handicapé. Erving Goffman a remarquablement analysé ce phénomène de la stigmatisation-exclusion dans nos sociétés contemporaines. Le mot est d'origine latine (*stigmata*) et dérive du mot grec *stigzein*

---

1. M. Douglas, *De la souillure : essai sur les notions de pollution et de tabou*, Paris, Maspero, 1981.
2. G. Tillon, *Ravensbruck*, Paris, Le Seuil, 1988.

(« piquer »). Il a d'abord (1406) été utilisé dans un sens sacré pour désigner les plaies du Christ et met l'accent sur l'aspect visuel, le « marquage » de l'individu stigmatisé.

Ce marquage peut prendre des formes très concrètes : toutes les inscriptions au couteau ou au fer-chaud (XVIe siècle) sur le corps proclamaient, comme l'indique Erving Goffman, que « celui qui les portait était un esclave, un criminel ou un traître – bref, un individu frappé d'infamie, rituellement impur, et qu'il fallait éviter, surtout dans les lieux publics ». Plus tard, indique ce même auteur, le christianisme a attaché à ce mot un sens profondément sacré, marque de la grâce divine, rappelant la passion du Christ. Non sans relation avec le religieux et le sacré, un sens médical a été attribué à ces « signes corporels d'un désordre physique » (Goffman). Nous développerons ultérieurement cet aspect qui est l'un des mécanismes principaux de la discrimination.

Pauvreté, charité et infirmité. – L'une des réponses sociales à la pauvreté et à l'exclusion de la productivité économique a été le partage par et dans la charité et sa version moderne : la solidarité. L'infirme, faible, ne peut subvenir à ses besoins et, pour survivre, doit avoir recours à la mendicité ou même au vol. Ce cycle infernal infirmité-pauvreté-délinquance s'exprime parfaitement bien dans l'art. C'est ainsi qu'une statue de saint Martin, située au-dessus de l'une des portes de la cathédrale de Strasbourg et au musée de Colmar, représente le bénéficiaire du partage du manteau de l'officier romain comme un personnage recroquevillé sur lui-même, difforme, notamment au niveau de l'un de ses pieds qui est « retourné ». Le commentaire du guide, faisant remarquer la déformation du pied, est particulièrement révélateur : « Il est infirme, il ne peut pas travailler. » Ainsi, le partage des biens des riches au bénéfice des pauvres permet un équilibre social : permettre l'accès du ciel pour les premiers, survivre ou mourir saintement sur terre pour les seconds, l'infirme étant, de fait, stigmatisé comme un improductif. Cette notion selon laquelle une infirmité égale une incapacité est très profondément ancrée dans nos habitudes de penser, surtout lorsqu'on veut valoriser la performance physique ou intellectuelle. C'est le cas de cette chanson scoute de marche : « La meilleure façon de marcher, c'est de mettre un pied devant l'autre et de recommencer. Dans la troupe, y a pas de jambes de bois, y a des nouilles mais ça ne se voit pas. » On peut en dire autant des « bras cassés » !

Pis, le célèbre tableau de Brueghel intitulé *Les Mendiants*, ce qui est synonyme de « voleurs », représente des personnes amputées et appareillées d'une façon sommaire qui ne fait qu'accentuer la stigmatisation. Les habits et les couvre-chefs contrastent avec l'aspect miséreux des membres : il s'agit des attributs de l'évêque, du maire, du chef de la police, du juge, etc., dont on veut dénoncer la malhonnêteté !

Bien des aspects de cette perception charitable et condescendante persistent dans des attitudes contemporaines d'exclusion, comme cela a été naguère le cas pour la fonction publique qui ne voulait pas admettre en son sein les personnes atteintes de la poliomyélite.

On retrouve ces effets de stigmatisation et de discrimination dans la stratégie d'identification de la personne handicapée par le pouvoir administratif. Le sentiment de l'observateur est que l'on a principalement cherché à différencier les « ayants droit » ou « bénéficiaires » (Québec) de dispositions d'aides sociales diverses, des autres citoyens. Cela conduit à une dialectique curieuse à laquelle nous avons été parfois confronté lors de discussions avec des responsables de la santé et de l'action sociale : ils opposaient ce qu'ils appelaient la « définition médicale du handicap » à la « définition administrative ». Nagi, aux États-Unis, avait fait les mêmes constats : « The evaluation of disability is an administrative, not medical, responsibility and function[1]. » Les critères de reconnaissance étant principalement fondés sur les circonstances de survenue (maladie, accident,

---

1. S. Z. Nagi, « Some Conceptual Views in Disability and Rehabilitation », *Sociology and Rehabilitation*, Ohio State University Press, 1969.

vieillesse) ou sur le type de lésion corporelle plus que sur les limitations des fonctions humaines et l'impossibilité de faire face à certaines situations de la vie.

À travers ces deux visions médicale et sociale du handicap se profile la notion d'« homme normal » qui, selon Erving Goffman, « trouve peut-être son origine dans la vision médicale de l'être humain, ou bien encore dans la tendance qu'ont les grandes organisations bureaucratiques, telles que l'État national, à traiter tous leurs membres comme égaux sous certains aspects ».

Ces deux courants se traduisent par deux démarches : l'approche médicale et sociale du handicap dans laquelle le corps médical a un rôle essentiel à jouer et l'approche juridique et réglementaire où les médecins sont absents ou très minoritaires face aux milieux associatifs et au pouvoir administratif et/ou politique.

C'est ainsi que, d'un côté, s'est développée une théorisation du handicap et, de l'autre, un appareil juridico-administratif de plus en plus complexe, les deux démarches s'étant ignorées, voire opposées ; elles aboutissent à des produits hybrides difficiles à utiliser tels que le barème d'appréciation des incapacités proposé par le gouvernement français en 1993 à l'intention des commissions départementales d'évaluation (COTOREP)[1].

De telles considérations peuvent paraître surprenantes lorsqu'elles s'appliquent à des phénomènes *a priori* objectivables. C'est pourtant en suivant l'une de ces logiques que l'on a promulgué la loi du 30 juin 1975 sur les personnes handicapées sans définir le handicap, renvoyant aux commissions départementales la mission de définir qui est ou n'est pas handicapé et de chiffrer l'importance du handicap.

Un éclairage supplémentaire pour bien comprendre le handicap est nécessaire : il est psychosocial et anthropologique avec la notion de « stigmate » ; il est sociétal avec la notion d'« exclusion », comme cela a été bien

---

1. Guide-barème pour l'évaluation des déficiences et incapacités des personnes handicapées, décret n° 93-12/16 du 4 novembre 1993.

souligné en 2002 dans la déclaration de Madrid[1] qui oppose l'*inclusion* à l'exclusion.

Du côté des sciences de la santé, la personne handicapée était, bien souvent, reléguée dans ce groupe hétérogène et peu recommandable des « chroniques[2] » naguère souvent qualifiées d'« incurables », c'est-à-dire « ne pouvant être guéries » selon un concept qui désigne la guérison comme étant le retour à l'état physiologique dit normal. Cette attitude perdure, puisque l'on continue à privilégier l'approche de la maladie ou de la lésion accidentelle, aidé en cela par la *high-tech* au détriment de la prise en compte des conséquences sur les capacités de l'homme à s'adapter, de façon interactive, aux exigences de son cadre de vie. Quelques médecins ont cependant considéré que le champ de la médecine s'étendait aussi aux conséquences fonctionnelles et sociales des traumatismes et des maladies. Parmi ceux-ci, deux personnalités émergent au XIXe siècle : Désiré Magloire Bourneville et Édouard Séguin[3], l'un médecin, l'autre éducateur des enfants dits « idiots » (regroupant, en fait, beaucoup de ceux que l'on qualifie aujourd'hui de « personnes handicapées »), donc « incurables », selon les dogmes médicaux de l'époque. Ces précurseurs n'étaient pas tout à fait isolés, et un courant psychiatrique tourné vers ce qui sera plus tard l'ergothérapie (rééducation par l'activité humaine et notamment le travail) se dessinait à la même époque (thèse de médecine de Labitte). Cette évolution s'est accentuée entre les deux guerres mondiales du fait de l'afflux des victimes de guerre (rôle de l'administration des anciens combattants dans l'appareillage et la réinsertion), de la prise en compte médico-sociale des tuberculeux et de l'action de leaders associatifs volontaristes (Suzanne Fouché, Paul Guinot…).

---

1. Déclaration de Madrid, « non-discrimination + action positive = inclusion sociale » ; site Internet.
2. J.-F. Martinet, *Traité des maladies chroniques*, Paris, Bossange – Masson & Besson, 1803.
3. É. Séguin, *Traitement moral des idiots et des autres enfants arriérés*, Paris, J.-B. Baillière, 1846.

C'est dans l'après-Seconde Guerre mondiale, aux États-Unis, à New York, avec le traitement des survivants de la guerre, et en France avec la lutte contre les conséquences de la poliomyélite et le développement de la Sécurité sociale, que la médecine de réadaptation s'est réellement implantée comme une démarche spécifique destinée à des personnes en situation de handicap de façon temporaire ou définitive.

Construction méthodologique de la médecine, un obstacle à l'approche de la personne en situation de handicap. – La médecine qu'il est convenu d'appeler « occidentale » comporte une approche « anatomo-clinique ». C'est-à-dire que son objectif sera de localiser l'organe malade et de déterminer le type de lésion dont il est le siège. Elle s'appuiera sur l'analyse de symptômes cliniques subjectifs (ce dont se plaint le sujet) qu'elle transformera en signes et des signes objectifs (constatés à l'examen fait par le médecin). Ces derniers se sont enrichis, au fil des avancées technologiques, de signes mis en évidence par les examens dits « complémentaires » : examens biologiques, recueils de signaux électriques musculaires, cardiaques ou cérébraux, et « imagerie médicale » devenue très fine, dont l'extension ramène au constat anatomique de la lésion plutôt qu'à l'écoute du patient.

La vérification anatomique directe pouvant être faite grâce à l'histologie après biopsie *in vivo* ou bien selon la méthode développée par Giovanni Battista Morgagni à l'École de médecine de Padoue dans un lieu qui lui doit son nom : la morgue[1].

Un autre aspect de la construction de la médecine occidentale est l'organisation d'un système de classification des maladies au xviiie siècle par François Boissier de Sauvages[2] de celle des botanistes. Ce système s'est

---

1. G. B. Morgagni, *De sedibus et causis morborum per anatomen indagatis*, Venetis, 1765.
2. F. Boissier de Sauvages, *Nosologie méthodique, dans laquelle les maladies sont rangées par classes, suivant le système de Sydenham et l'ordre des botanistes*, Paris, 1771.

perpétué dans ses grands principes jusqu'à l'actuelle classification des maladies que l'Organisation mondiale de la santé a la mission de réviser tous les dix ans. Il caractérise les maladies en les repérant par classes au sein desquelles on isole des genres et des espèces à partir de signes qualifiés de « positifs » qui sont, bien entendu, négatifs pour celui qui en est porteur.

Cette orientation de la médecine vers les altérations des organes et les maladies aboutit à un éclatement des disciplines médicales. C'est sur ces bases qu'est aujourd'hui enseignée la médecine, que sont délimitées les compétences des diverses spécialités médicales et que sont répartis les surfaces de soins et les moyens dans les hôpitaux. On peut considérer que la tendance à l'hyperspécialisation des pratiques médicales, s'appuyant sur les nouvelles technologies, a encore, récemment, accentué ce phénomène et renforcé la doctrine bioanatomique de la médecine. L'organisation du programme des études médicales françaises, avec la création des certificats dits « intégrés », a renforcé le phénomène, puisque ces certificats ont été regroupés par « appareils » ou *groupes d'organes*. Cette évolution a été largement influencée par les progrès technologiques, et l'on a vu l'ophtalmologie et l'ORL se séparer et la neurochirurgie s'individualiser de l'ORL.

La séparation de la neurologie et de la psychiatrie constitue un événement particulièrement important dans l'histoire des relations de la médecine et du handicap. Cette séparation entre « physique » et « psychique ou mental » est antinomique de la conception globaliste de l'handicapologie.

La nouvelle réforme des études médicales a pour objectif un recentrage plus global sur la personne humaine mais est difficile à mettre en place. Il faut mener, à cet égard, les efforts de la faculté de médecine Descartes qui met en place un enseignement pour ses étudiants sur « l'art d'être médecin », et ajouter que l'évolution des structures hospitalières avec la création de pôles reproduit souvent ce regroupement d'organes au détriment des activités transversales comme la médecine physique et la réadaptation.

Psychisme et handicap. – La notion de réadaptation et de handicap est inscrite dans bien des démarches de la psychiatrie, qu'il s'agisse d'hygiène mentale ou de psychiatrie sociale. L'intégration des notions communautaires dans les actions de santé, la place du milieu culturel, la mise en place des secteurs psychiatriques, l'ethnopsychiatrie qui a largement devancé l'« ethnophysiatrie », l'invention de l'ergothérapie[1] sont autant d'éléments favorisant une approche « handicapologique ». Si plusieurs psychiatres ont été précurseurs comme Claude Veil et Yves Pélicier et que d'autres travaillent dans ce sens, comme François Chapireau et Bernard Durand, il faut bien dire que la notion de « handicap » rencontre encore beaucoup de méfiance et de diversités d'interprétation de la part de cette discipline médicale.

Les terminologies médicales doivent s'assouplir face aux besoins des personnes en situation de handicap de s'identifier. Les milieux associatifs prennent en charge les personnes avec atteinte des fonctions mentales, singulièrement l'UNAPEI, fédération nationale française forte de ses 600 associations et d'une longue pratique sur le sujet. Cette association fait le départ entre handicap mental et maladie mentale avec handicap psychique. Elle donne les définitions suivantes :

« Le **handicap mental** est la conséquence d'une déficience intellectuelle. La personne en situation de handicap mental éprouve des difficultés plus ou moins importantes de réflexion, de conceptualisation, de communication et de décision. Elle ne peut pas être soignée, mais son handicap peut être compensé par un environnement aménagé et un accompagnement humain, adaptés à son état et à sa situation. » L'UNAPEI ajoute :

---

1. Ergothérapie (*ergos* : « travail, activité », *terapein* : « traiter »). Ce terme a été donné par des psychiatres qui, bien avant l'existence même des médecins-rééducateurs, ont introduit ce type d'action dans leurs programmes thérapeutiques.

« Une personne handicapée mentale est une personne à part entière. Elle est ordinaire parce qu'elle connaît les besoins de tous, dispose des droits de tous, et accomplit les devoirs de tous. Elle est singulière parce qu'elle est confrontée à plus de difficultés que les autres citoyens. »

Le **handicap psychique** est, quant à lui, la conséquence d'une maladie mentale. Comme le définit l'UNAFAM, la personne malade mentale est un individu qui « souffre de troubles d'origines diverses qui entachent son mode de comportement d'une façon momentanée ou durable et inégalement grave ». Le handicap psychique n'affecte pas directement les capacités intellectuelles mais plutôt leur mise en œuvre. Il est toujours associé à des soins, et ses manifestations sont variables dans le temps.

Le mot « cognitif » n'est pas mentionné ici. Il aurait pourtant sa place. Il a été ajouté dans la définition de la loi du 11 février 2005, probablement pour spécifier le groupe des traumatisés cérébraux. Il y a aussi le groupe des personnes polyhandicapées, principalement handicapées mentales, représenté par le CESAP.

Cette terminologie de « handicap mental » est très développée au niveau international avec la création d'une Ligue européenne des associations d'aide aux handicapés mentaux en 1960 puis d'une Ligue internationale des associations d'aide aux handicapés mentaux en 1962.

La Déclaration des droits du déficient mental, adoptée par l'ONU le 20 décembre 1972, mentionne, à l'article 7 : « Si, en raison de la gravité de leur handicap, certains déficients mentaux ne sont pas capables… »

Des réunions scientifiques sur la psychiatrie prennent pour thème le handicap ; c'est le cas du colloque international « Lien social et handicap » organisé par les psychiatres en mai 1994 et du colloque franco-américain « Maladies mentales et handicap » organisé à l'hôpital Esquirol en octobre 1995. L'appellation « handicap mental » est passée dans le vocabulaire associatif, puis législatif, désignant les personnes qui présentent des difficultés d'apprentissage et, d'une façon plus générale, cognitives, souvent d'origine génétique, par accident néonatal ou périnatal. Plus récemment, les associations de familles de malades mentaux (l'UNAFAM en particulier, mais aussi les associations des familles d'autistes) ont pris une place importante dans le mouvement social du handicap, et l'expression « handicap psychique » est devenue courante. Ces deux expressions : « handicap mental » et « handicap psychique », entrent, désormais, dans les définitions légales des causes possibles de situations de handicap aux côtés des « handicaps physiques » et des « handicaps sensoriels ». Ainsi, le mot « handicap », avec ses quatre grandes catégories, recouvre la totalité d'une réalité fonctionnelle et sociale, et ouvre, enfin, la porte à des définitions claires et intelligibles par tous.

Une place à part doit être faite à la gérontopsychiatrie dominée par les altérations des facultés cognitives dont la maladie d'Alzheimer caractérisée par une altération progressive des fonctions mentales qui concernerait près d'un million de personnes en France. Des mesures importantes, à l'échelle nationale, viennent d'être prises.

Il faut aussi mentionner l'utilisation fréquente du préfixe « handi- » : Handisport (association française de sports pour les personnes handicapées), « Handynet » (banque de données de l'UE sur les handicaps), et « Handitec » (devenu « Autonomic »), « Handimat » qui sont des salons de matériels pour les personnes handicapées, « Handitest » qui est un instrument de mesure du handicap.

Certaines langues ont déjà des mots pour désigner les personnes handicapées. C'est le cas de la langue polonaise qui utilise le mot *niepe/nosprawny* (« ceux qui ne sont pas totalement aptes »). Malgré son succès dans la communauté internationale, médicale et sociale, le mot « handicap », qui est de plus en plus utilisé, est aussi encore refusé par certains. C'est le cas des Américains qui le trouvent stigmatisant et qui l'ont remplacé par *disability* qui, bien qu'initialement emprunté au français (« dishabile »), est intraduisible littéralement dans notre langue, sauf par un mot précisément emprunté à la langue anglaise : *handicap*. Plus récemment, on observe des tentatives de remplacement par « autrement capable » ou « à capacités différentes ». Ainsi, certains milieux italiens du handicap souhaitaient remplacer le terme « disabile » par « altrabile ». Nous estimons que ces tentatives ne sont pas heureuses et ne font qu'accentuer la marginalité des personnes concernées.

Malgré son succès incontestable, le mot « handicap » est à l'origine de bien des interprétations différentes et de bon nombre de malentendus qui sont autant de blocages à l'identification et à la participation sociale des personnes handicapées. L'impasse est telle que la loi française de 1975 n'a pas donné de définition des « handicapés » et encore moins du handicap. Cette difficulté vient principalement du fait qu'on a voulu remplacer trois mots différents (« infirme », « incapacité » et « inadaptation ») qui avaient chacun implicitement un sens précis par un seul qui englobe les réalités complexes qui conduisent certaines personnes à des *situations de handicap* et à *l'exclusion sociale*. Il y a peut-être une autre raison, plus profonde : c'est le refus inconscient par la société d'identifier une notion qui dérange.

Un grand précurseur : Désiré Magloire Bourneville et la curabilité de l'« idiotie » (handicap ?). – Une place particulière doit être faite à ce véritable précurseur de la réadaptation médicale, Bourneville (1840-1909), travaillant à l'hôpital Bicêtre et à la fondation Vallée. Il a considéré, inspiré par Séguin, que l'idiotie était curable. Jacqueline Gateaux-Mennecier[1], en reprenant cette notion d'« idiotie » dans le discours aliéniste, met parfaitement en valeur les divers points de vue du XIXe siècle qui ont un malheureux effet de rémanence jusqu'à aujourd'hui. C'est ainsi que, dans la définition donnée du handicap mental par l'UNAPEI, il est mentionné que

---

1. J. Gateaux-Mennecier, *Bourneville et l'enfance aliénée*, Paris, Le Centurion, 1989.

la personne « ne peut pas être soignée », résurgence de cette notion d'« incurabilité », alors que la rééducation, qui est, précisément, une thérapeutique, peut apporter des améliorations fonctionnelles sensibles.

Celui d'Esquirol est intéressant : « La parole, cet attribut essentiel de l'homme, donne le caractère des principales variétés d'idiotie. » La question du discernement entre infirmité et maladie est débattue « L'idiotie, déclare Esquirol, n'est pas une maladie » (ce qui n'était pas faux), c'est un état dont il précise qu'il s'agit d'une « infirmité incurable ». Le terme d'« infirmité » est repris par d'autres dont Belhomme, Ferrus, Voisin.

Cette prise de position n'est pas neutre, puisque, en refusant le terme de « maladie », on refuse ceux de « traitement » et de « guérison ». Ce type de prise de position pèse très lourd, jusqu'à maintenant, dans les attitudes du corps médical et de la société.

Quant à l'action médicale et médico-sociale de Bourneville, elle s'inscrit tout à fait dans l'esprit de la médecine de rééducation à travers l'organisation même de la vie hospitalière qui devient un lieu de formation mais aussi d'activités quotidiennes, de scolarisation et de loisirs pour les enfants, de formation professionnelle pour les adultes. Dans le cadre plus particulier de la rééducation fonctionnelle, il est l'inventeur, avec son équipe, de méthodes qui n'ont rien perdu de leur actualité ; c'est le cas des aides techniques à la déambulation ; c'est le cas de cette véritable rééducation des sensations proprioceptives d'appui obtenue par l'usage d'une balançoire qui permet, en fin de course, à l'enfant d'exercer une poussée avec ses membres inférieurs sur un mur.

Dans le domaine cognitif, c'est l'invention de jeux qui ont fait l'objet de présentations remarquées à l'Exposition universelle de Paris de 1900 et qui, pour certains, sont encore utilisés comme jeux éducatifs.

CHAPITRE III

Du mot au concept : cinquante ans de construction d'idées neuves

R. Lafon et Cl. Veil, deux avant-gardistes français. C'est surtout à partir des années 1960 que se sont développés, de la part de chercheurs, les efforts de conceptualisation du handicap. En France, R. Lafon et Cl. Veil ont été véritablement les deux auteurs novateurs. Préalablement, dans le contexte de l'effort de guerre, les Britanniques, contraints de rassembler toutes leurs capacités de production, ont élaboré une doctrine (rapport Tomlison, 1941-1943) pour mettre au point toute une série de techniques de *rehabilitation* (en français : « réadaptation ») des personnes en situation de handicap (Cl. Veil). Il est remarquable que l'insertion au travail qui a complété la notion de « réparation » des accidentés du travail et des « mutilés » de la guerre 1914-1918 a été un facteur très important de progression pour la notion de « handicap » qui a influencé ces deux auteurs ainsi que l'Américain Nagi et d'autres qui suivront R. Lafon[1], repris par Cl. Veil[2], propose, dès 1963, une taxonomie (ou identification) situationnelle qui est très supérieure aux critères de pourcentages encore utilisés aujourd'hui :

– « *handicapé léger* permettant une indépendance (on dirait aujourd'hui autonomie) sans aide extérieure et un développement maximum des possibilités ;

---

1. R. Lafon, *Vocabulaire de psychopédagogie et de psychiatrie de l'enfant*, Paris, Puf, 1963.
2. Cl. Veil, *Handicap et Société*, Paris, Flammarion, 1968.

– « *handicapé grave ou sérieux* ne permettant pas d'acquérir un degré suffisant d'indépendance et ayant besoin de l'aide constante d'une tierce personne pour subvenir à ses besoins, même les plus élémentaires ;
– « *handicapé moyen ou de gravité intermédiaire* ayant des chances de réadaptation et permettant, avec une aide spécialisée, de s'intégrer socialement et professionnellement. »

Il précise que la notion de « handicap » est relative en fonction du pays et de son niveau de développement, du groupe social, du lieu de résidence (urbain ou rural, par exemple), de la tolérance ou de l'aide efficace ou paralysante de la famille.

Claude Veil, psychiatre et anthropologue, considère que « les handicapés constituent un groupe social aux contours imprécis ». Il est cependant partisan d'utiliser le terme « handicap » : « C'est en effet le meilleur moyen d'essayer d'échapper à la catégorisation ségrégative et atomisante qu'impliquent les autres termes. » Il contribuera, relayé par Henri-Jacques Stiker[1], à mettre l'accent sur l'origine culturelle, mythique et religieuse de l'exclusion.

De la maladie à la notion de « handicap », l'approche nord-américaine. – C'est à Saad Zergloub Nagi[2], médecin rééducateur et anthropologue américain, que revient probablement le mérite d'avoir, l'un des premiers dès 1965, essayé d'établir un enchaînement logique entre la maladie et ses conséquences sur l'activité sociale de l'individu. Il distingue, avec des subtilités de langage assez complexes et difficiles à saisir en français, plusieurs niveaux successifs : la maladie ou le traumatisme, les *impairments* (modifications anatomiques ou physiologiques des organes), les limitations fonctionnelles (*functional limitations*), conséquences des modifications précédentes dans la vie de relation (à

---

1. H.-J. Stiker, *Corps infirmes et société*, Paris, Aubier-Montaigne, 1982.
2. S. Z. Nagi, « Some Conceptual Views in Disability and Rehabilitation », *Sociology and Rehabilitation*, Ohio State University Press, 1965.

ce niveau, il distingue les états aigus [*sickness*] et les états chroniques [*illness*]) ; le dernier niveau qu'il appelle *disability* est défini comme l'ensemble des situations et des attitudes qui accompagnent la persistance à long terme ou définitivement de modifications anatomiques ou physiologiques avec limitations fonctionnelles. Il introduit ainsi la notion de « situation de handicap » et même de subjectivité à propos de la perception de son état par la personne concernée. Il a aussi défini le champ de la réadaptation. Il observe, avec justesse, que la même personne, si elle est dans un hôpital, a un statut de « patient » (ici en anglais, *malade*) ; en revanche, celle qui est dans une structure de réadaptation a celui de *client* (ici en anglais, « résident » ou « usager »). Nagi sera l'inspirateur principal des auteurs du rapport *Disability in America*[1]. Le chapitre consacré aux concepts considère que les propositions faites par l'OMS en 1980 sont confuses et manquent de consistance. Le schéma suivant est proposé dans lequel nous traduisons *disability* par « handicap » :

Pathology →	*Impairment* →	*Functional limitation* →	*Disability.*
Pathologie →	Lésion corporelle →	Limitation des capacités fonctionnelles →	Handicap.

En effet, *disability* n'a pas son équivalent en français (« dishabile » n'existe pas ou plus).

Cette évolution américaine se comprend bien si on la replace dans le contexte du mouvement social des personnes handicapées de ce pays qui prône l'insertion par la non-discrimination. Une des causes de l'incompréhension mutuelle dans les discussions sur la notion de « handicap » vient, en partie, de ces aspects linguistiques.

On trouvera dans la même lignée, aux États-Unis, le pragmatisme de M. Hobbs[2] et son équipe qui proposent

---

1. *Disability in America*, Washington (DC), National Academy Press, 1991.
2. M. Hobbs, M. L. Cantrell, B. Mallory, *Un système de classification pour l'emploi des adolescents handicapés qui tient compte des services nécessaires et de l'environnement.*

de « classer les personnes handicapées en fonction des services dont elles ont besoin pour trouver un emploi et pouvoir exercer durablement une activité productive ». Ces auteurs insistent sur le fait que « la réussite de la personne ne dépend pas seulement de ses capacités, mais aussi, de la situation qu'elle occupe dans sa famille, dans la collectivité et sur les lieux de son travail ».

À Créteil, on cherche le lien entre les atteintes corporelles, l'intégration dans la ville. On y reconsidère la réparation médico-légale du dommage corporel. – À Créteil, l'implantation simultanée d'un CHU avec un service de réadaptation médicale et d'une université dans une ville en pleine expansion a provoqué de la part du responsable du service de réadaptation une démarche vers le maire de la ville, dès 1972, avec la proposition, aussitôt acceptée et menée en collaboration avec l'Association des paralysés de France, de rendre la ville accessible aux personnes handicapées. Ce sera l'objet de la thèse de médecine d'Ouri Sadan-Kowadlo[1], en lien avec le laboratoire d'anthropologie appliquée de la faculté de médecine de Paris-5, avec pour objectif d'établir une relation fiable entre une lésion localisée à une articulation ou un hémicorps et les difficultés rencontrées devant une barrière architecturale. C'est-à-dire entre une lésion avec limitation fonctionnelle et une situation handicapante. Une méthode d'analyse des situations de handicap par barrière architecturale a été élaborée. Trois fonctions ont été individualisées (déplacement horizontal, déplacement vertical, manipulation-préhension). Des microsituations ont été identifiées au sein de chacune des situations rencontrées. Par exemple : se déplacer en terrain plat, se déplacer en terrain accidenté, enjamber. À partir de 1980, notre équipe entreprenait, à la demande du préfet et du Conseil général du Val-de-Marne, une étude sur la définition du handicap s'appuyant

---

L'éducation des adolescents handicapés. Intégration à l'école, OCDE-CFR, 1981.
1. O. Sadan-Kowadlo, *Handicap physique et barrières architecturales*, thèse, Faculté de médecine de Créteil, université de Paris-12, 1975.

sur une enquête systématique sur la situation des personnes handicapées dans les 47 communes du département. Le préfet, préoccupé de recevoir des demandes de subvention émanant d'un très grand nombre d'associations de personnes handicapées, s'est tourné vers l'université pour l'aider à répondre à deux interrogations : qui sont les personnes handicapées du Val-de-Marne ? Quels sont leurs besoins ? Il a été décidé de mener deux actions : créer un groupe de réflexion sur la notion de « handicap » pour en donner une définition plus opérationnelle, compréhensible par tous les décideurs, et mettre en place une enquête auprès de 35 communes du Val-de-Marne (1 200 000 personnes) de façon à mieux identifier les situations de handicap en milieu communautaire. C'est à partir de ces résultats que se sont élaborées de nouvelles définitions et qu'ont été construits de nouveaux instruments d'évaluation du handicap[1], qui ont abouti au « Système d'identification et de mesure du handicap » (SIMH), élaboré en collaboration avec l'Institut médico-légal de Porto (Pr Teresa Magalhaes).

Dans le domaine médico-légal, des médecins comme le docteur Philippe Thervet, des magistrats comme le président Robert Barrot ou des assureurs comme Jean Margeat, insatisfaits des modalités d'indemnisation et de réparation sur des bases principalement « anatomiques » et lésionnelles, cherchent à définir des modalités qui traduisent avec plus de réalisme le lien entre la blessure et ses conséquences sur le mode de vie de la victime. Adhérents à ces idées nouvelles, ils ont soutenu ces recherches et y ont apporté leur contribution. Le résultat qui sera développé plus loin est une vision globale quadridimensionnelle de l'homme handicapé applicable quels que soient l'origine, les manifestations au niveau de la personne et le cadre de vie.

---

1. Cl. Hamonet, « À propos d'un manifeste sur le handicap », *Journal de réadaptation médicale*, 3, n° 1, 1983, p. 3. Voir aussi Handitest, Service de réadaptation médicale CHU Henri-Mondor, 94010 Créteil.

À Lyon, puis à Saint-Étienne, on comprend l'importance de l'environnement situationnel dans la constitution des handicaps. – Parallèlement, à Lyon, une équipe de médecine de rééducation menée par Pierre Minaire[1] et une équipe de l'Institut de recherches des transports et de leur sécurité (Florès et Chapon), à l'occasion d'une étude sur l'accessibilité du nouveau métro de Lyon par les personnes handicapées, sont arrivées à la conclusion qu'il fallait préférer une classification fonctionnelle à une classification anatomique et promouvoir la notion de ce que le professeur Pierre Minaire appelait le « handicap de situation ». P. Minaire, prématurément disparu (1989), sera l'un des promoteurs du lien entre l'environnement, les situations (macrosituations et microsituations) vécues par la personne et la notion de « handicap ». Il l'a parfaitement illustré à travers cette étude très originale d'« analyse fonctionnelle d'une population » qu'il a conduite dans la petite commune de Saint-Cyr-sur-le-Rhône. Il s'agit d'une étude entreprise en 1984, conjointement entre l'université de Saint-Étienne et le Laboratoire « Ergonomie », Santé, confort (LESCO) de l'Institut national d'études et de recherches sur les transports et leur sécurité. Elle a été placée sous la responsabilité de P. Minaire et de J.-L. Florès[2]. Les auteurs considèrent que le handicap est « l'expression de la confrontation entre l'incapacité du sujet, c'est-à-dire sa réduction fonctionnelle et la vie quotidienne ». Le handicap ainsi envisagé n'est pas « une constante mais une variable » dépendant des situations sociales vécues par le sujet. Les auteurs distinguent parmi les handicaps de situation : les « macrosituations » telles qu'aller à l'école et les « microsituations » telles que franchir une marche.

Saint-Cyr-sur-le-Rhône est une commune rurale de 532 habitants située au bord de la vallée du Rhône, près de Vienne. L'étude fait appel à une batterie de

---

1. P. Minaire, « Handicap et handicapés. Pour une classification fonctionnelle », *Cahiers médicaux lyonnais*, 2, 1976, p. 479-480.
2. J.-L. Florès, P. Minaire, *Épidémiologie du handicap : étude fonctionnelle d'une population*, Lyon, INRETS-LESCO, 1986.

tests inspirés des « microsituations » rencontrées dans les transports en commun.

Le choix de ces tests s'est opéré de façon à apprécier les conséquences d'une éventuelle limitation de trois fonctions jugées comme prioritaires par les expérimentateurs : maintien et déplacement (qu'ils nomment « ambulatoire »), préhension et communication.

Nous avons retenu quelques résultats qui nous semblent illustrer à la fois la notion de « situation handicapante » et la « banalisation » des situations de handicap.

Passage de la position assise à la position debout. Si l'assise est à 40 cm du sol (ce qui est une hauteur très courante), 29 % des personnes ont des difficultés.

Montée et descente de marches. Une marche de 35 cm ne peut être franchie sans difficulté que pour 25,8 % des sujets à la montée et 21,2 % à la descente.

Près de 10 % des sujets sont exclus de la montée comme de la descente. Les femmes sont plus gênées lors du franchissement des marches les plus hautes, le type de chaussage et d'habillage est en cause.

L'âge joue un rôle important, puisque les groupes les plus gênés sont celui des moins de 10 ans et celui des plus de 60 ans.

Lors de la réponse à des ordres oraux et écrits, les résultats obtenus sont excellents (89,9 % des sujets ont répondu à tous les ordres oraux). *Les auteurs estiment qu'il ne semble pas y avoir* « coïncidence systématique entre les gênes observées et les gênes vécues ».

On conçoit donc aisément que toute modification du cadre de vie dans le sens de la réduction des situations handicapantes devrait profiter à l'ensemble de la population et que de « petites améliorations » peuvent avoir de « grands effets ».

À Genève (OMS), on entreprend un projet de classification des handicaps en complément de celui des maladies. – Dans les années 1970, les services statistiques et d'épidémiologie de l'Organisation mondiale de la santé désireux de compléter la classification des maladies dont ils ont la charge par une classification des handicaps confient ce travail à Philip Wood, de Manchester, spécialiste anglais de l'épidémiologie, et à André Grossiord, de Garches, créateur de la spécialité de médecine de rééducation en France. En 1975, un *groupe* d'experts se réunit à Rennes avec Odile Guibeau, de l'OMS, et propose un premier projet (Classification internationale des handicaps – CIH) qui sera sensiblement modifié, par la suite, après le départ d'André Grossiord. Il sera diffusé, à titre expérimental, en 1980, et traduit en français, par l'INSERM, en 1981. Il ne sera jamais intégré dans la révision de la Classification internationale des maladies (CIM), contrairement à une idée reçue. L'OMS définit initialement trois niveaux aux contours incertains et les désigne, en anglais, par *impairment*, *disability* et *handicap*.

La traduction qui est proposée en France (INSERM) de ces trois termes est respectivement « déficience », « incapacité » et « désavantage ». Le terme « désavantage » est très contesté, car dévalorisant (le mot « handicap » existe pourtant dans la langue française) et n'est pas accepté par tous les francophones qui conservent le terme « handicap » (Québec).

Il sera l'objet de longues controverses, faussées par le fait que l'interprétation du projet de Wood était souvent éloignée du texte qu'en fait beaucoup n'avaient pas lu ! Il sera remanié et aboutira, après une phase intermédiaire (CIH 2), à une version hybride (2001), difficilement utilisable, reprenant une partie des propositions de Wood. Elle marquera cependant une évolution conceptuelle réelle avec une place importante faite à l'environnement. Ce sera la **Classification internationale des fonctionnements, des handicaps et de la santé (CIF)**. Il nous paraît important que le mot « santé » figure dans l'intitulé.

Au Québec, une politique sociale audacieuse, appuyée sur la recherche, se met en place face aux situations de handicap. – L'Office des personnes handicapées du

Québec (OPHQ) a entrepris, dans les années 1980, de recruter un anthropologue, Patrick Fougeyrollas, pour l'aider à mettre en œuvre un programme cohérent d'intégration sociale des personnes handicapées. Ce programme est contenu dans le rapport *À part égale*[1] diffusé dans les années 1980, peu de temps après la publication de la proposition de classification par Wood. Ce document, très complet, aborde la question du handicap, selon les grands chapitres des activités humaines et de la vie sociale, en insistant sur les « habitudes de vie » et l'environnement. Patrick Fougeyrollas et son équipe de la société canadienne de la CIDIH (Classification internationale des handicaps) et de la Société québécoise de la CIDIH influenceront les évolutions de la Classification de l'OMS[2] et contribueront à introduire les facteurs environnementaux dans la formule de transition qu'est actuellement la Classification internationale de la fonctionnalité (CIF).

Les propositions québécoises font partie, avec celles de Saint-Étienne et de Créteil, du courant situationniste, humaniste et anthropologique de la perception du handicap qui fait replacer la notion de handicap dans un contexte social global et non pas seulement par rapport à l'individu. Il s'oppose en cela au courant « médicalisé », bien représenté par le premier projet de Wood à l'OMS qui considère le handicap comme la conséquence pour un individu d'un état pathologique. C'est entre ces deux pôles que se débat aujourd'hui la question du handicap en sachant que, en toile de fond, il y a le risque de stigmatisation et de marginalisation. C'est dire l'importance de l'enjeu médico-socio-économique pour nos sociétés contemporaines vieillissantes et médicalisées.

1. *À part égale. Intégration sociale des personnes handicapées : un défi pour tous*, Drummondville (Québec), Office des personnes handicapées, 1984.
2. P. Fougeyrollas, R. Chartier, H. Bergeron, J. Côte, M. Côte, G. Saint-Michel, M. Blouin, *Révision de la proposition québécoise de classification. Processus de production du handicap*, CQCIDIH/CCCIH, 225, Lac, Saint-Charles (Québec), G0A 2H0.

CHAPITRE IV

Définir le handicap et donc identifier les personnes en situation de handicap

La question de la définition est au cœur des débats, puisque de cette définition découle la position de la société vis-à-vis de ceux qu'elle continue à considérer comme des « personnes », certes (avec des réserves tout de même, il faut bien le dire), mais (et c'est le « mais » qui compte) « à part ». Ce que nous ne pensons pas, alors que nous fréquentons quotidiennement, depuis des années, les personnes concernées. Nous avons observé qu'elles sont « normales », parfaitement capables d'assumer une vie sociale performante si on leur en donne la possibilité. Au-delà des discussions des « épidémiologistes » très compétents mais souvent très éloignés de la réalité quotidienne des personnes concernées, nous estimons qu'il est possible de définir le phénomène handicap avec des mots simples qui ne blessent pas tout en exprimant sans ambiguïté les choses, avec les mots qui conviennent et, surtout, un soutien et un apport médical et social adapté.

Cette question a suscité, au fil des années, des débats passionnés et des discussions, souvent stériles, entre initiés dans un univers limité, à côté de la grande majorité des Français qui, finalement, ne participaient pas et n'avaient pas conscience d'être concernés.

Ce qui vient d'être dit explique parfaitement la vigueur de l'enjeu : il s'agit de savoir si les personnes handicapées doivent être définies par rapport à elles-mêmes et, en même temps, par rapport à un standard artificiel de l'homme « fonctionnellement normal », ou si ce qui doit être identifié, ce sont leurs relations avec l'environnement humain et matériel qu'elles rencontrent au quotidien.

Les approches globales médico-sociales et anthropologiques des situations de handicap

La démarche des universités de Paris-Est Créteil Val de Marne et de Porto. – Impulsée dès le début des années 1970, développée principalement au début des années 1980 (première présentation au Congrès international de médecine physique et de réadaptation à Jérusalem en 1983), la démarche se poursuit depuis plus de trente ans. Les équipes de Créteil et de Porto (élargies à des collaborations québécoises et tunisiennes)[1], proposent une présentation du handicap dans laquelle les deux éléments fondamentaux sont : les situations de la vie et la subjectivité (ou point de vue de la personne) et sa façon de réagir face à son état corporel, fonctionnel et situationnel. Cette approche est délibérément « positive » et ne parle plus de « classification » (terme jugé trop stigmatisant) mais d'« identification ». Elle se veut universelle (incluant tous les types de personnes en situation de handicap pour tous les pays), simple (éliminant le vocabulaire à consonance médicale), complète (envisageant toutes les fonctions et toutes les situations) et éthique (ne dévalorisant pas la personne par des terminologies

---

1. Voir Cl. Hamonet *et al.*, « Des handicapés dans la ville. Présentation et critique d'une enquête effectuée auprès de 35 communes du Val-de – Marne », *Recherche, transport et sécurité*, n° 23, septembre 1989 ; Cl. Hamonet et A.-M. Bégué-Simon, « Les mots clés en handicapalogie », *Journal de réadaptation médicale*, 8, n° 1, 1988, 13-20 ; et également Cl. Hamonet *et al.*, « Proposition d'une nouvelle taxonomie des handicaps », Congrès européen de recherche en médecine de rééducation, Amsterdam, juin 1988.

négatives en « in- » ou « dé- »). Elle repositionne la notion de « personne » face à la société et à la santé. Elle introduit une démarche en sciences de la santé qui dépasse le seul handicap, puisqu'elle est utilisable également pour aborder bon nombre d'autres questions de santé telles que les effets de l'âge, la douleur ou les soins palliatifs.

On aboutit ainsi à une *représentation du phénomène handicap*, centrée sur la *notion de personne*.

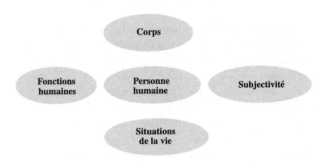

Les niveaux d'analyse du handicap. – Il faut distinguer :

- les causes : maladies, traumatismes, modifications physiologiques (enfance, grossesse, vieillissement) ;
- les organes du corps humain et leur physiologie ;
- l'être humain et ses aptitudes ou capacités fonctionnelles ;
- les situations de la vie ;
- les points de vue de la personne (subjectivité).

Chacun de ces niveaux utilise un vocabulaire approprié. Le vocabulaire médical et technique concerne les deux premiers niveaux.

Le niveau fonctionnel des aptitudes doit utiliser un vocabulaire simple, banalisé, compréhensible des non-professionnels, car toute la population est concernée et doit pouvoir comprendre, avec des termes familiers, quelles sont les limitations, mais aussi les capacités fonctionnelles de la personne concernée.

Dans ce dispositif, est établie la liste des capacités fonctionnelles caractéristiques de l'être humain. Cette approche fonctionnelle est aussi, de ce fait, une approche anthropologique, puisqu'il s'agit de définir un « homme fonctionnel », et divers types de profils fonctionnels, véritable « typologie fonctionnelle » applicable aux personnes handicapées, fondée non pas sur l'origine de la maladie ou le type de lésion, mais sur la personne, ses possibilités et ses difficultés ou limites. Les niveaux lésionnel et fonctionnel sont universels, et les mêmes dans toutes les régions du monde et dans toutes les cultures.

Le langage « situationnel » est lié aux conditions de vie et aux habitudes de vie propres à chaque région et à chaque culture dans le monde et à chaque groupe social au sein d'un même pays.

Cette façon de faire aboutit à une lecture claire des problèmes de handicap : les professionnels de la santé y reconnaissent, en termes adéquats, les conséquences anatomiques et biologiques de causes pathologiques, la traduction en langage fonctionnel permet à tous d'accéder à la compréhension du problème en termes de difficultés rencontrées par la personne et de poser, sans ambiguïté, le problème du handicap dans les diverses situations rencontrées.

Ainsi, la segmentation en quatre dimensions facilite l'analyse du phénomène handicap et de sa genèse. Cette analyse est incomplète si elle ne prend pas en compte le point de vue de la personne concernée et son « vécu » des situations qu'elle rencontre. C'est la quatrième dimension, *la plus importante pour toute démarche d'adaptation-réadaptation*, qui a été appelée « subjectivité ». Les définitions suivantes ont été retenues à l'occasion d'une réunion et d'un colloque qui se sont tenus à la mairie de Saint-Mandé, en octobre 1999.

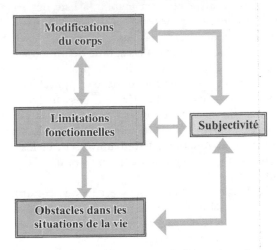

Le système d'identification quadridimensionnel
du handicap (Saint-Mandé, octobre 1999)

Définitions :

1. LE CORPS

Ce niveau comporte tous les aspects biologiques du corps humain, avec ses particularités morphologiques, anatomiques, histologiques, physiologiques et génétiques.

Certaines modifications du corps d'origine pathologique (maladie ou traumatismes) ou physiologique (effets de l'âge, grossesse...) peuvent entraîner des limitations des capacités. On voit donc que les modifications pathologiques ne sont pas les seules en cause.

2. LES CAPACITÉS

Ce niveau comporte les fonctions physiques et mentales (actuelles ou potentielles) de l'être humain, compte tenu de son âge et de son sexe, indépendamment de l'environnement où il se trouve.

Les limitations des capacités (réelles ou supposées), propres à chaque individu, peuvent survenir à la suite de modifications du corps, mais aussi du fait d'altérations de sa subjectivité.

3. LES SITUATIONS DE LA VIE

Ce niveau comporte la confrontation (concrète ou non) entre une personne et la réalité d'un environnement physique, social et culturel.

Les situations rencontrées sont : les actes de la vie courante, familiale, de loisirs, d'éducation, de travail et de toutes les activités de la vie, y compris les activités bénévoles, de solidarité et de culte, dans le cadre de la participation sociale.

4. LA SUBJECTIVITÉ

Ce niveau comporte le point de vue de la personne, incluant son histoire personnelle, sur son état de santé et son statut social.

Il tient compte du point de vue de la personne sur son corps (difformité), sur ses capacités (être diminué, faible), sur ses situations de handicap (exclusion) et sur son devenir (réadaptation).

Il intègre le vécu émotionnel des événements traumatisants : circonstances d'apparition et d'évolution, annonce et prise de conscience de la réalité des faits et acceptation de vivre avec sa nouvelle condition.

Il y a handicap chaque fois qu'une personne rencontre, à un moment donné, un obstacle (partiel ou total) dans l'accomplissement de l'une ou de plusieurs de ses activités. Ces obstacles peuvent être la conséquence d'une altération du corps, des capacités ou de la subjectivité, mais aussi le fait de situations particulièrement exigeantes ou contraignantes pour l'individu. *Être handicapé, c'est donc être en situation de handicap.*

Nous proposons les deux formulations suivantes comme étant les plus compatibles avec la réalité sociale et les plus applicables dans un texte de loi dans le contexte contemporain.

1. **Constitue une situation de handicap le fait, pour une personne, de se trouver, de façon temporaire ou durable, limitée dans ses activités personnelles ou restreinte dans sa participation à la vie sociale du fait de la confrontation interactive entre ses fonctions physiques, sensorielles, mentales et psychiques lorsqu'une ou plusieurs sont altérées, d'une part, et les contraintes de son cadre de vie, d'autre part.**

2. **Le handicap est la restriction des activités personnelles et/ou de la participation à la vie sociale qui résulte de la confrontation interactive entre, d'une part, les capacités d'une personne ayant une ou plusieurs limitations fonctionnelles durables ou temporaires – physique, mentale, sensorielle (vue, audition) ou psychique – et, d'autre part, les contraintes physiques et sociales de son cadre de vie.**

Le terme de « physique » ne se limite pas seulement à « moteur », il inclut les limitations fonctionnelles liées à des atteintes respiratoires ou cardiaques ou à d'autres altérations du corps comme l'obésité, par exemple.

C'est donc un environnement non adapté qui crée le handicap et non pas la personne avec ses micro- et macro-situations de vie. Il faut cependant admettre que certaines situations de handicap sont insurmontables du fait des limitations extrêmes des capacités de la personne. C'est le cas de personnes très dépendantes que l'on regroupe usuellement sous le terme de « polyhandicapés ».

C'est bien le fait d'avoir des limitations fonctionnelles qui permet d'identifier le fait d'appartenir à un groupe spécifique de personnes qui rencontrent des situations de handicap.

Ces définitions doivent aussi tenir compte de la fameuse formule de Pierre Minaire : « Le handicap n'est pas une constante mais une variable. » Pour faire varier le « curseur » dans le bon sens, c'est d'abord sur les situations qu'il faut agir afin de les rendre moins « handicapantes ».

Ainsi se profile une nouvelle définition positive de la santé, fondée sur la notion de « bien-être », moins utopique que celle de la constitution de l'OMS de 1947 (« complet bien-être ») et proche de celle de René Dubos : « État physique et mental relativement exempt de gênes et de souffrances qui permet à l'individu de fonctionner aussi longtemps que possible dans le milieu où le hasard ou le choix l'ont placé. » Elle se rapproche beaucoup de celle de l'autonomie (avec ou sans dépendance) qui est la finalité de la réadaptation médicale et sociale.

Le processus de production des handicaps (Québec). Patrick Fougeyrollas[1] et son groupe proposent (1989) un modèle de « processus de production des handicaps » et distinguent, parmi les facteurs environnementaux, ceux qui sont personnels et ceux qui sont contextuels. Ces propositions ont été faites au début de l'année 1989. Elles s'appuient sur les résultats du colloque organisé à Québec en mai et juin 1987 par le comité québécois de la CIDIH qui a regroupé 25 experts de 13 pays et de 6 organisations internationales.

Ce dispositif est intéressant et reflète bien une préoccupation sociologique qui vise à replacer l'Homme handicapé dans la société. Cette proposition, qui rencontre un succès d'estime dans les milieux francophones et internationaux associatifs, de travailleurs sociaux et d'ergothérapeutes, présente l'inconvénient d'être trop complexe pour un usage clinique et social au quotidien.

---

1. P. Fougeyrollas, R. Chartier, H. Bergeron, J. Côte, M. Côte, G. Saint-Michel, M. Blouin, *Révision de la proposition québécoise de classification. Processus de production du handicap*, CQCIDIH/S CCIDIH CP 225, Lac, Saint-Charles (Québec), GOA 2HO.

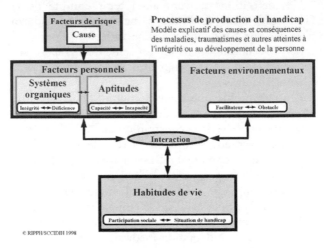

© RIPPH/SCCIDIH 1998

**Processus de production des handicaps (PPH),
1989, Québec**

Elle comporte des chevauchements entre les niveaux des organes et des fonctions humaines qui créent des confusions et en gênent l'utilisation, notamment par les professionnels de la santé (médecins surtout) qui s'y sont, de fait, très peu intéressés. La référence à la déficience est gênante, car elle stigmatise en évoquant l'infirmité. Certaines formulations, telles que « habitudes de vie », sont difficilement transposables en Europe, de même que « processus de production des handicaps ».

Une définition du handicap est proposée : « Les handicaps sont une perturbation pour une personne dans la réalisation d'habitudes de vie compte tenu de l'âge, du sexe, de l'identité socioculturelle, résultant, d'une part, de déficiences ou d'incapacités et, d'autre part, d'obstacles découlant de facteurs environnementaux. » Elle est proche de celle qui est proposée par l'Université de Paris-Est-Créteil.

L'OMS et le handicap

L'une des missions de l'Organisation mondiale de la santé est de mettre au jour une classification des maladies (CIM) qui est un outil de travail entre les pays membres. Au début des années 1970, les services de l'OMS (Genève), chargés de la mise à jour de la CIM, ont eu l'idée, sous l'impulsion d'un fonctionnaire français, Odile Guibeau, d'y adjoindre un dispositif de classification des handicaps. Le travail d'élaboration a été confié à un Français fondateur de la médecine de réadaptation en France, le Pr André Grossiord, et à un Anglais, épidémiologiste et rhumatologue de formation, P. H. N. Wood. Après une présentation à Rennes, en 1975, un projet expérimental de classification (CIH 1) est proposé en 1980. Il est conçu comme un dispositif de classification des conséquences des maladies et des traumatismes, et non pas comme un instrument d'insertion (ou d'inclusion) sociale des individus. Il introduit une approche qui séduira, de prime abord en : *impairment, disability and handicap* qui sera transformée en : *impairment* = atteinte corporelle, *disability* = limitation des fonctions humaines et *handicap* = conséquences sociales de ce qui précède. Cette trilogie qui correspond à une logique lésions-fonctions-situations de la vie ne correspond pas du tout aux définitions de la CIH 1 qui, en fait, comporte seulement deux niveaux : celui des altérations corporelles et fonctionnelles, toutes deux confondues (*impairment*), et celui des handicaps (cumulant les niveaux *disability* et *handicap*). Il ne s'agit pas d'une approche tri- mais, de fait, bidimensionnelle. Cela explique son échec et les efforts de remplacement par une CIH 2 puis, en 2001, par la Classification internationale des fonctionnements, des handicaps et de la santé (CIF) qui est une sorte de superposition ou de compromis entre l'ancienne CIH présentée par Wood et le courant de pensée environnementaliste (ou « situationniste ») qui gagne, heureusement, rapidement du terrain dans le monde.

**La Classification internationale du fonctionne-
ment, du handicap et de la santé (CIF, OMS, 2001)[1].**
Adoptée par l'Assemblée mondiale (ce qui n'avait pas
été le cas pour la CIH 1), elle se définit comme un
compromis entre le courant « woodien » et « médical »
centré sur la pathologie de la personne avec ses conséquences et le courant « socio-environnementaliste » qui
met l'accent sur le rôle des obstacles dans les situations
de vie dans la genèse du handicap. Cela ne va pas sans
un certain nombre de répétitions et de contradictions
qui rendent l'outil lourd et difficile à appliquer dans la
pratique de la réadaptation. Cependant, elle constitue
une avancée certaine après des années d'immobilisme,
contribuant à mieux définir la santé aujourd'hui. Elle

---

1. « Handicap et droit », Colloque ADEP, novembre 1983, tribunal de Créteil,
édité par le CTNERHI, Paris, 1985.

apparaît comme un instrument évolutif. Elle ne s'est pas débarrassée des défauts de l'approche de Wood, dont les apports étaient farouchement défendus par les groupes français et hollandais (P. Fougeyrollas) qui gravitaient autour de la construction des classifications du handicap.

Définitions (CIF, OMS, 2001)

Dans le contexte de la santé :

Les fonctions organiques désignent les fonctions physiologiques des systèmes organiques (y compris les fonctions psychologiques).

Les structures anatomiques désignent les parties anatomiques du corps, telles que les organes, les membres et leurs composantes.

Les déficiences désignent des problèmes dans la fonction organique ou la structure anatomique, tels qu'un écart ou une perte importante.

Une activité désigne l'exécution d'une tâche ou d'une action par une personne.

Participation désigne l'implication d'une personne dans une situation de vie réelle.

Les limitations d'activité désignent les difficultés que rencontre une personne dans l'exécution d'activités.

Les restrictions de participation désignent les problèmes qu'une personne peut rencontrer dans son implication dans une situation de vie réelle.

Les facteurs environnementaux désignent l'environnement physique, social et attitudinal dans lequel les gens vivent et mènent leur vie.

« La CIF repose sur l'intégration de ces deux modèles antagonistes. Pour prendre acte de l'intégration des différentes représentations du fonctionnement, on a utilisé une approche "biopsychosociale". La CIF tente donc de réaliser une synthèse qui offre une image cohérente des différentes perspectives sur la santé, qu'elles soient biologiques, individuelles ou sociales » (Introduction de la CIF).

« La CIF fournit une approche multidimensionnelle de la classification du fonctionnement et du handicap en tant que processus interactif et évolutif. »

« Divers modèles conceptuels ont été proposés pour comprendre et expliquer le handicap et le fonctionnement. On peut s'en rendre compte à travers la dialectique entre "modèle médical" et "modèle social". Dans le modèle médical, le handicap est perçu comme un problème de la personne, conséquence directe d'une maladie, d'un traumatisme ou d'un autre problème de santé, qui nécessite des soins médicaux fournis sous forme de traitement individuel par des professionnels. Le traitement du handicap vise la guérison ou l'adaptation de l'individu, ou le changement de son comportement. Les soins médicaux sont perçus comme étant la principale question, et, au niveau politique, la principale réponse est de modifier ou de réformer les politiques de santé. Dans le modèle social, en revanche, le handicap est perçu comme étant principalement un problème créé par la société et une question d'intégration complète des individus dans la société. Le handicap n'est pas un attribut de la personne, mais plutôt un ensemble complexe de situations, dont bon nombre sont créées par l'environnement social. Ainsi la solution au problème exige-t-elle que des mesures soient prises en termes d'action sociale, et c'est la responsabilité collective de la société dans son ensemble que d'apporter les changements environnementaux nécessaires pour permettre aux personnes handicapées de participer pleinement à tous les aspects de la vie sociale. La question est donc de l'ordre des attitudes ou de l'idéologie ; elle nécessite un changement social, ce qui, au niveau politique, se traduit en termes de droits de la personne humaine. Selon ce modèle, le handicap est une question politique » (Introduction à la Classification internationale des fonctionnements, des handicaps et de la santé, CIF, OMS, 2001). La révision de la CIF aurait dû être présentée en 2011 pour respecter le rythme de la révision décennale des classifications de l'OMS.

CHAPITRE V

Évaluer et mesurer le handicap

Évaluer le handicap est une nécessité absolue si l'on veut aborder de façon rationnelle et juste aussi bien les aspects santé que les aspects société de ce problème.

Que faut-il évaluer ?
Les enjeux de l'évaluation

L'obstacle principal réside dans la définition de ce qui doit être évalué. Les nouvelles définitions du handicap à travers l'approche quadridimensionnelle apportent, à notre sens, la solution à ce problème.

Nous en avons individualisé trois enjeux :

- médical et scientifique : il est nécessaire pour les professionnels de la santé de disposer d'outils qui leur permettent de communiquer entre eux et avec les usagers qui sont les premiers acteurs de leur projet de santé, d'organiser des programmes de rééducation-réadaptation, d'en mesurer l'efficacité et de faire de la recherche appliquée dans ce domaine ;
- social : il s'agit d'exprimer les évaluations et mesures des capacités de la personne et des situations de handicap qu'elle rencontre ;
- juridique, pour mesurer les dommages corporels, fonctionnels et situationnels subis par une victime.

Ces trois démarches, que nous avons personnellement explorées simultanément, ne sont pas antinomiques, et nous pouvons dire qu'une méthode unique permet d'aborder les trois aspects : santé, social et juridique.

Les obstacles : le poids de l'histoire. – Nous avons montré, à travers le cheminement des idées sur le handicap, combien les approches coutumières et cloisonnées de ce problème (médicale, sociale, juridique, administrative, etc.) avaient généré des vocabulaires et des modes de pensée incompatibles entre eux. Cela se traduit par les aberrations dans les systèmes d'évaluation et notamment des divergences entre les « barèmes » dits d'invalidité.

Il est d'ailleurs remarquable de constater combien les divers « mondes » qui se sont occupés du handicap se sont méconnus jusqu'à une période récente.

Les gériatres sont parmi ceux qui ont produit le plus grand nombre d'outils de mesure. À partir d'une démarche médicalisée de besoins sanitaires, ils ont progressivement abouti à des réponses médico-sociales.

Les psychiatres ont surtout abordé l'évaluation à partir des problèmes nosologiques et taxonomiques (F. Chapireau). Les rhumatologues (Henrard), un temps mobilisés par l'effet Wood qui était un des leurs, semblent se désintéresser de la question.

Les médecins-rééducateurs sont ceux qui, jusqu'à présent, sont allés le plus loin dans la démarche d'une évaluation mesurée globale du handicap avec la proposition d'outils originaux.

Les milieux de l'expertise médico-légale ont abordé le problème de l'évaluation à partir de la réparation : comment traduire en termes économiques (en argent) les blessures et leurs conséquences pour l'individu ?

De nombreuses tentatives de construction de barèmes ont été faites et paradoxalement se poursuivent, visant toutes à résoudre un problème qu'Henri Margeat désignait sous l'expression d'« arithmétique impossible » : traduire une lésion traumatique d'un organe en une « incapacité permanente partielle » (IPP) devenue (mission Dantezac) déficience fonctionnelle.

Les propositions de l'OMS n'ont pas permis de déboucher sur des outils fiables en pratique clinique et sociale quotidienne, et restent des outils de recherche. La CIF en particulier n'est surtout pas un instrument de mesure du handicap.

Classification sommaire des outils d'évaluation disponibles. – La démarche du handicap s'accommode assez mal d'outils construits pour d'autres objectifs : bilans médicaux cliniques usuels, épidémiologie, maladies, enquêtes sociologiques ou évaluations psychosociales[1].

Le savoir-faire de disciplines telles que l'ergonomie, l'urbanisme, la démographie, l'ethnologie, et l'anthropologie est, en revanche, précieux.

Barèmes, index et grilles. – Le droit à la réparation a établi des barèmes qui cherchent à traduire la lésion d'un organe en termes de coûts, exprimés le plus souvent en pourcentage d'« incapacité ou déficience permanente » ou de taux d'« invalidité ».

Dans le domaine dit du droit commun, il n'existe pas de barème officiel. Le barème dit « fonctionnel » du Concours médical, essentiellement lésionnel, malgré son intitulé, restant l'outil habituel des médecins-conseils, des experts et… des juges.

Le développement des scores et index de sévérité dans le domaine médical (en réanimation, en rhumatologie, par exemple) a sans doute inspiré cette démarche de quantification d'application rapide et simple qui consiste à choisir des items jugés significatifs, de leur attribuer un score positif ou nul, puis à les additionner pour juger de la sévérité de l'état du sujet et, par comparaisons successives, de l'évolution favorable ou défavorable.

Le succès de l'un de ces index (celui de Barthel) montre leur intérêt dans l'évaluation mesurée en handicapologie. Il faut préciser que ces index mesurent essentiellement la dépendance du sujet, d'une technologie ou

---

1. Cl. Hamonet, « Essai sur l'histoire de l'évaluation en médecine de rééducation », *Journal de réadaptation médicale*, 11, n° 3, 1991.

d'une personne, ce qui explique probablement l'intérêt suscité.

Un instrument très prisé des médecins-rééducateurs mais d'eux seuls (ce qui montre l'impact culturel dans le choix et l'usage de ces outils) est la Mesure de l'incapacité fonctionnelle ou MIF (FIM, en américain). Il permet, lui aussi, de calculer un score à partir d'un mélange d'items fonctionnels et situationnels, mais il n'aide pas à la décision en réadaptation.

Mesure objective, mesure subjective. – Ici plus qu'ailleurs, l'opinion de la personne sur ses propres capacités intervient beaucoup. Il nous semble que c'est le consensus qui s'établit entre l'évaluateur et l'évalué qui est l'élément important. L'outil de mesure doit en tenir compte et être un instrument de dialogue entre la personne en situation de handicap et celui qui l'évalue.

Les outils de mesure « lésionnelle » exclusivement ou principalement. – Ce sont ceux qui mesurent seulement les lésions des organes.

Parmi eux peuvent être classés tous les *barèmes* utilisés pour les victimes de guerre, les accidentés du travail et les divers barèmes du droit commun, même si, pour ces derniers, des efforts timides ont été faits pour mettre en valeur les capacités restantes (Barème international des invalidités post-traumatiques de L. Melennec, 1983 ; Barème d'évaluation médico-légale de la Société française de criminologie) et pour mettre l'accent sur le « fonctionnel » ou le « physiologique » comme dans le « Barème fonctionnel du *Concours médical* »[1].

Dans la même famille, on retrouve des outils bien connus dans la pratique médicale et qui font partie de la série des « bilans » : bilan articulaire, bilan de la force musculaire, bilan instrumental de la vessie et des sphincters, etc.

---

[1]. « Barème fonctionnel indicatif des déficits fonctionnels séquellaires en droit commun », *Le Concours médical*, 1993.

Certains outils d'évaluation utilisés aux États-Unis, tels que le PULSE, ont aussi une base surtout lésionnelle (sauf pour un ou deux items).

Le guide-barème (1993) utilisé, naguère, par les COTOREP et les CDES reste dans la même tradition de référence à la lésion et/ou à la maladie.

Les outils qui mesurent seulement ou principalement les capacités ou aptitudes. – Parmi ceux-ci, on peut classer les tests mentaux et neuropsychologiques, puisque leur objet est la mesure des aptitudes ou capacités mentales et de l'affectivité.

La MIF (Mesure de l'indépendance fonctionnelle) mise au point par l'équipe de C. V. Granger aux États-Unis et adaptée en français ne comporte que 8 items sur 18 que nous qualifierons de fonctionnels, tous les autres étant microsituationnels.

Les outils qui mesurent seulement ou principalement les situations de handicap. – La batterie des tests microsituationnels établie par Pierre Minaire et Jean-Louis Florès, lors de leur étude de la population de Saint-Cyr-sur-le-Rhône, fait partie de ce groupe.

Il en est de même pour deux tests américains : ESCROW qui, mis à part un item sur les fonctions mentales, apprécie les habitudes de vie, et *Kenny Self Care Evaluation*, où tout est situationnel sauf la marche.

Beaucoup d'outils sont mixtes, mais ils regroupent, le plus souvent, deux dimensions, lésionnelle et fonctionnelle. – C'est le cas d'outils gérontologiques comme Géronte ; plus souvent fonctionnelle et situationnelle : c'est le cas de l'index de Barthel qui compte deux items fonctionnels (contrôle des urines et des selles) et huit microsituations, et de l'index de Katz qui comporte, lui, une seule fonction : la continence urinaire.

Dans ce groupe, on retrouve les grilles réalisées par les gériatres (grille Piednoir-Henrard).

Le système québécois de mesure de l'autonomie fonctionnelle (SMAF)[1] est proche de la MIF dans son principe et comporte 50 % d'items fonctionnels et 50 % de microsituations de la vie courante.

Les classiques grilles d'évaluation de la vie quotidienne (AVQ) entrent dans ce même groupe.

Les outils pluridimensionnels. – Ils sont encore rares. Un premier effort de combinaison des index de Barthel, de l'ESCROW et du PULSE sous le sigle LRES va dans ce sens.

C'est aussi le cas d'Ertomis, outil développé en Allemagne, sous l'impulsion du professeur K. A. Jocheim qui aborde, à travers 64 items, à la fois des aspects lésionnels, fonctionnels et des situations concrètes. On peut citer aussi le QOLIBRI (J.L. Truelle) qui est un outil d'évaluation des fonctions et qualités de la vie destiné aux traumatisés cérébraux.

Le **handitest**[2] a été développé avec, comme lignes directrices, une évaluation strictement quadridimensionnelle, une quantification identique pour les niveaux fonctionnels et situationnels, et basée sur une échelle de dépendance simple à quatre échelons.

Il s'agit d'un modèle d'outil à partir duquel peuvent être « façonnées » et « adaptées » diverses modalités. Il peut être utilisé de façon abrégée.

Il comporte :

- des items lésionnels avec une localisation aux différentes parties du corps : cerveau, membre supérieur droit, cœur et vaisseaux… ;
- des items fonctionnels : marche, préhension, vision, contrôle des urines et des matières fécales, mémoire, communication orale… ;

1. R. Héhert, R. Carrier, A. Bilodeau, *Système de mesure de l'autonomie fonctionnelle*, Hôtel-Dieu de Lévis, Québec (Canada), 1984.
2. Handitest, Service de réadaptation médicale, CHU Henri-Mondor, 94010 Créteil.

- des items situationnels : s'habiller, téléphoner, écrire, pratiquer des activités de loisirs, être scolarisé, travailler ;
- des items de subjectivité.

Le temps de passation est de 10 à 40 minutes. Il a fait l'objet de nombreux travaux de validation et d'application en France et à l'étranger (Portugal, Algérie, Tunisie, Italie), à la fois pour le suivi des soins et l'insertion sociale.

Certaines de ses données sont intégrées dans les nouvelles missions à experts : la mission Dintillac, la mission pour les personnes traumatisées cérébrales issue des « Entretiens d'Aix » en 2011.

Une nouvelle venue : la qualité de vie. – Un quatrième niveau d'évaluation, celui de la « subjectivité », se met en place. Sa mesure a été initiée à partir de situations dramatiques de « fin de vie », surtout chez des cancéreux, et de l'importance de la douleur (ce qui explique le succès obtenu en rhumatologie). Elle s'est progressivement étendue. Les outils existants sont encore lourds à manier et complexes, mélangeant des données propres au handicap avec d'autres éléments comme l'appréciation de l'état dépressif. L'apport pour le handicap sera l'appréciation subjective de l'état de santé. Leur intérêt en handicapologie a été démontré par L. Gagnon[1] à propos de para- et de quadriplégiques. Elle apparaît comme un enrichissement de la notion de subjectivité développée dans le handitest.

Épidémiologie du handicap : mission impossible ?

Connaître le nombre de personnes handicapées dans une ville ou un pays est une préoccupation pour le gestionnaire et le politique qui veulent savoir à combien de

---

1. *La Qualité de vie de paraplégiques et de quadriplégiques*, thèse de sciences médicales, université de Montréal, 1987.

personnes ou de familles ils ont affaire. On a envie de répondre : toute la population, puisque chacun d'entre nous, à un moment de sa vie (surtout au début et à la fin si elle est longue). On dispose de données disparates et relatives : un amputé de cuisse bien appareillé qui vit dans un immeuble avec ascenseur peut-il être comparé à celui qui souffre à l'appui sur sa prothèse et habite au troisième étage sans ascenseur ? Peut-on comparer le mal de dos d'une mère de famille de quatre enfants à celui du jeune retraité de 62 ans, joueur de golf ? Que penser de l'évaluation à se déplacer chez un Rennais qui dispose d'un métro accessible et d'un Parisien qui n'en a pas ? Les enquêtes qui ont été effectuées au sein de la population générale constatent, le plus souvent, que 10 % de la population étudiée est en situation de handicap. C'est aussi le point de vue des Nations unies, relayé par la Banque mondiale, qui considèrent que 10 à 15 % de la population mondiale vit avec un handicap et qu'un ménage sur quatre compte une personne handicapée. Ce chiffre est majoré dans les pays pauvres par un manque d'accès à la formation (50 % d'analphabètes parmi les personnes handicapées au Honduras, contre 19 % pour l'ensemble de la population ; en Inde, 60 % de plus de chômeurs parmi les personnes en situation de handicap que dans le reste de la population !) La population carcérale est, mis à part ses conditions de vie, significativement plus handicapée que la population générale. Si l'on demande, par enquête, aux Européens le nombre supposé, par eux, de concitoyens handicapés dans leur propre pays (en 2003), le choix le plus fréquent, effectué par 22 % des répondants, est la catégorie « 20 % ou plus ». Cette réponse varie considérablement, de 8 % en Espagne à 35 % aux Pays-Bas et en Suède, et 42 % au Royaume-Uni.

Il est utile pour la clinique et l'épidémiologie de disposer d'instruments très simples comme le « minitest fonctionnel » mis au point avec le ministère des Affaires sociales de Tunisie[1].

Appréciation sommaire de l'état fonctionnel
(Minitest fonctionnel de « débrouillage »)

0 : Fonctionnement ordinaire.

1 : Fonctionnement faiblement limité (inconfort, pénibilité).

2 : Fonctionnement moyennement limité (nécessité d'aides techniques ou médicamenteuses).

3 : Fonctionnement très limité (nécessité d'une aide humaine partielle).

4 : Fonctionnement impossible (nécessité de nombreuses aides humaines).

	Fonctionnement				
Fonctions	*0*	*1*	*2*	*3*	*4*
Marcher					
Prendre et manipuler					
Entendre					
Voir					
Comprendre					
Apprendre					
Avoir un comportement adapté					
Autres (à préciser)					

Cela peut être très utile pour l'attribution d'une carte d'accessibilité, ou pour savoir si cela justifie d'organiser une évaluation plus complexe, à la Maison départementale du handicap, par exemple.

Typologie sommaire des personnes qui vivent des situations de handicap

1. Personnes âgées ;

2. Personnes en état de « malaise » (René Dubos) ou mal-être sans être, en fait, malades : mal de dos, mal de cou, douleurs articulaires ou périarticulaires (atteintes « musculo-squelettiques »), états de fatigue persistants, états « paradépressifs » ou

---

1. M. Hamadi, Institut pour la promotion des handicapés, ministère des Affaires sociales, Tunis.

états d'anxiété avec troubles du sommeil et de l'attention ;

3. Personnes avec une maladie mentale sévère ;
4. Aveugles et malvoyants (souvent âgés) ;
5. Sourds et malentendants (souvent âgés) ;
6. Personnes avec une limitation des capacités mentales ;
7. Personnes avec une altération corporelle (physique) :
   - motrice : paralysés, amputés, rhumatisants, traumatisés,
   - autre : cardiaque, respiratoire, urinaire, etc. ;
8. Personnes multi- ou polyhandicapées.
9. Les personnes en situations de handicap «invisibles». Il s'agit de personnes avec une atteinte familiale du tissu conjonctif responsable du syndrome d'Ehlers-Danlos (SED) fréquent et ignoré de la plupart des médecins. Il est à l'origine de limitations fonctionnelles par troubles proprioceptifs, variables avec un examen neurologique et une imagerie normale. Il en est de même de certains traumatisés cérébraux porteurs de séquelles cognitives marquées dont ils n'ont pas conscience.

CHAPITRE VI

Droit et handicap

> « La juxtaposition des mots "Droit" et "handicap" est un phénomène récent... qui s'inscrit aujourd'hui dans les règles du droit positif et *dans les principes généraux dégagés par les organisations internationales.* Cette évolution a amené l'apparition d'une littérature juridique où l'on n'hésite plus à faire des personnes handicapées les titulaires de droits subjectifs au sein de systèmes juridiques spécifiques et par le moyen de structures juridiques spécialement aménagées. »
>
> André Dessertine,
> Colloque *Droit et handicap*
> TGI de Créteil, 1981.

Les premières mesures législatives sont souvent des mesures d'exclusion à caractère sacré. – Parmi les interdits du Lévitique rédigés par Moïse après la sortie d'Égypte, certains frappent durement les personnes atteintes de lésions apparentes ou de limitations fonctionnelles et les excluent de toute fonction sacerdotale[1].

« Car aucun homme ne doit s'approcher pour offrir l'aliment à Dieu s'il a une infirmité... Il a une infirmité et ne doit pas profaner les objets sacrés. » Il apparaît donc que la loi biblique, au sens ici le plus fort, peut exclure la personne handicapée des fonctions à caractère sacré, la définissant comme « impure ». À l'inverse, il est prescrit de la respecter : « Tu ne maudiras point un

---

1. La Bible, Lévitique, nouvelle traduction, Paris-Montréal, Éditions Bayard-Médiaspaul, 2001.

sourd et tu ne mettras devant un aveugle rien qui puisse le faire tomber ; car tu auras la crainte de ton Dieu. »

La lèpre, cause majeure d'impureté, est un cas d'exclusion légale renforcée. Le Lévitique précise les modalités de vie des lépreux, qui doivent résider en dehors du camp à une distance précisée. Les lépreux seront aussi, en France, l'objet de réglementations spécifiques d'exclusion. Après le développement important de l'épidémie en Europe au retour des croisades, des « hôtels de ladres », ou maladreries, sont créés. Au début du XIIIe siècle, le nombre de ces établissements sera estimé à 2 000[1].

Les sorties, notamment pour quêter, sur le Petit-Pont, près de l'Hôtel-Dieu, sont réglementées ; l'usage de la « cliquette » pour signaler sa venue est l'un des aspects symboliques de cette exclusion sociale.

Le droit à la réparation de la victime infirme est un droit très ancien pour un bon équilibre social. – C'est d'abord sous l'angle de la réparation que sont apparus les premiers textes législatifs concernant l'infirmité. Le plus ancien est le Code d'Hammourabi, roi de Babylone (1792-1750 A.C.), mis en place, selon Lewis Mumford[2], pour combattre l'anarchie des populations qui affluaient dans les villes de Mésopotamie. Puis sont venues les codifications avec aggravation des modalités de vengeance initialement énoncées dans la Genèse par Lamek, petit-fils de Caïn.

« J'ai tué un homme pour une blessure, un enfant pour une meurtrissure. C'est que Caïn est vengé sept fois, mais Lamek, septante fois. »

La loi biblique du Talion (Lévitique) apparaît alors comme un progrès : « Si un homme blesse un compatriote, comme il a fait on lui fera : fracture pour fracture, œil pour œil, dent pour dent[3] », car elle rétablit un équilibre social rompu.

---

1. J. Imbert, *Les Hôpitaux en France*, Paris, Puf, coll. « Que sais-je ? », 1958.
2. L. Mumford, *La Cité dans l'histoire*, Paris, Le Seuil, 1964.
3. Genèse 4, *Bible de Jérusalem*, Paris, Le Cerf, 1954.

Le chirurgien Exmelin[1], dans la relation de son expérience auprès des « frères de la côte », indique que ces derniers avaient institué, entre eux, un règlement très précis avant chaque « chasse-partie », c'est-à-dire avant chaque expédition contre les Espagnols. Ce règlement stipulait que, en cas de perte de la totalité ou d'une partie d'un membre ou d'un œil, une indemnisation était prévue selon un barème précis et payable en écus et en aide humaine (ici des esclaves).

Comme le souligne Yvonne Lambert-Faivre[2], c'est la compensation en argent telle quelle qui est également proposée dans la Guelde germanique avec l'amende de composition (tant pour un œil, tant pour un bras). Des dispositions identiques apparaissent secondairement dans la Bible.

Cette notion de la réparation de la perte « corporelle » subie du fait d'un tiers a joué et continue à jouer un rôle essentiel dans la mise en place de mesures législatives destinées aux personnes handicapées. Le rôle des conflits armés et notamment des deux guerres mondiales a été déterminant, faisant émerger des « handicapés héros » que la nation doit dédommager. On peut en rapprocher la réparation due aux accidents du travail. Parmi les « héros » figurent aussi certaines personnes handicapées médiatisées et connues par leurs exploits, c'est le cas de « l'homme qui marchait dans sa tête » (Patrick Ségal).

Le droit à l'assistance : de la charité à la solidarité. Rôle des hôpitaux. – Le droit au minimum nécessaire à la survie est souvent fondé sur l'action charitable induite par les divers codes religieux. L'infirme, l'aveugle, le paralytique, l'amputé, le malade mental ont fait l'objet de mesures qui étaient celles destinées aux pauvres, c'est-à-dire aux exclus du système social. Les personnes handicapées apparaissent *a priori* comme ne pouvant subvenir à leurs ressources du

---

1. A.-O. Exmelin, *Journal de bord*, Éditions de Paris, 1956.
2. Y. Lambert-Faivre, *Le Droit du dommage corporel*, Paris, Dalloz, 2e éd., 1993.

fait de leurs infirmités et invalidités. Ces mesures « charitables » ont, à certains moments, revêtu les caractéristiques de mesures d'« ordre public » avec enfermement dans des lieux réservés aux exclus. C'est le cas des hôpitaux jusqu'à la Révolution française, puisque, en 1789, on y dénombrait plus d'« infirmes » que de malades.

À la fin du XIXe siècle, la séparation sera nette administrativement entre les hôpitaux où sont les « malades » et les hospices où sont les vieillards, infirmes et incurables. Cette ségrégation tend à se prolonger à travers les séparations administratives arbitraires entre hôpitaux de court séjour et hôpitaux de moyen et long séjour devenus services de suite et réadaptation. Bel exemple d'une dichotomie entre un système « riche » pour la maladie et « pauvre », voire délaissé, pour le handicap.

La réglementation hospitalière permettra aussi la création de structures hospitalières destinées aux personnes handicapées en les classant par type de limitation fonctionnelle : établissements pour sourds-muets, pour aveugles (les Quinze-Vingts, Saint-Louis, 1260), les Invalides (sous Louis XIV) ; les asiles nationaux de convalescents et la mise en place des hôpitaux psychiatriques relèvent d'une démarche analogue qui sera suivie par celle des centres de rééducation (Institut national de réadaptation de Saint-Maurice, par exemple). Secondairement viendront des établissements médico-sociaux, plus sociaux que médicaux, destinés aux personnes les plus en difficulté. Ils viennent d'être regroupés dans un cadre unique avec le système général de soins, mais les barrières restent. On voit donc que le dispositif législatif et réglementaire de la santé, tout en répondant à la spécificité des besoins des personnes atteintes de limitations fonctionnelles, les isole dans un monde hospitalier institutionnel particulier.

Parmi les droits, il y a aussi celui d'être soigné, c'est ce qu'a fait Pinel en séparant les malades mentaux des délinquants. C'est aussi celui de pouvoir faire reconnaître ses capacités existantes. C'est ainsi que l'abbé de l'Épée et

Pereire (célèbre pour avoir « éduqué » un jeune Tahitien que Bougainville avait ramené en Europe) et le juriste espagnol Lasso l'ont demandé pour les sourds-muets que l'on croit incapables de raisonner et d'apprendre.

La Constituante a créé un comité de mendicité pour les pauvres, les personnes âgées, les infirmes et les incurables. La Convention vote le 19 mars 1793 un décret qui précise que « tout homme a droit à sa subsistance, par le travail s'il est valide, par les secours gratuits s'il est hors d'état de travailler ».

Les lois générales et les lois spécifiques. Prise de position à l'ONU. – Les droits des personnes handicapées sont par définition les droits fondamentaux du citoyen tels que l'exprime l'article premier de la Déclaration des droits de l'homme : « Les hommes naissent et demeurent libres et égaux en droits. » La question de l'intérêt d'une législation spécifique avec ses limites se pose. Les experts du Centre international des Nations unies, réunis à Vienne en juin 1986[1], ont considéré que trois types de législations sont susceptibles de concerner les personnes handicapées :

– la législation générale touchant l'ensemble de la population qui inclut l'application de ses dispositions aux personnes handicapées ;
– la législation spéciale qui s'applique à toutes catégories de personnes handicapées ;
– la législation spéciale avec dispositions touchant des regroupements particuliers, à l'intérieur de l'ensemble des personnes handicapées.

Ces mêmes experts recommandent qu'une législation spéciale ne soit utilisée que « lorsque les lois et réglementations à caractère général ne peuvent pas traiter les problèmes que rencontrent les personnes handicapées, ou ne peuvent le faire dans un avenir prévisible ».

---

1. Rapport de la réunion internationale d'experts concernant la législation sur l'égalisation des opportunités pour les personnes handicapées, in *Réadaptation*, supplément au n° 343, septembre-octobre 1987.

« De plus, la législation sera considérée comme plus acceptable si des groupes ne sont pas perçus comme imposant aux autres des charges particulières. »

De la réparation et de l'assistance à la notion d'insertion ou inclusion sociale. Constitution du corpus législatif propre aux personnes handicapées. – Dominées initialement par la notion d'assistance économique et médicale et par la notion de réparation, peu à peu vont apparaître, dans les pays européens, des dispositions législatives marquées par l'*esprit de la réparation et de la réinsertion*.

C'est en 1889 que l'Allemagne, dans le cadre des lois sociales inspirées par Bismarck, promulgue une loi sur l'invalidité et la vieillesse destinée aux salariés de l'industrie.

En France, la loi du 14 juillet 1905 à propos des vieillards infirmes et incurables est essentiellement dominée par des préoccupations d'hébergement et de ressources minimales propres à assurer la survie.

C'est après la guerre de 1914-1918 qu'une série de textes visera à réparer les dommages causés aux victimes civiles et militaires du conflit. La loi du 28 avril 1924 stipule que toute entreprise de plus de dix salariés doit employer 10 % de « mutilés de guerre », ce qui est évidemment excessif. L'appareillage et la rééducation sont assurés gratuitement dans les services de l'Office national des mutilés.

Les ordonnances de 1945 créant la Sécurité sociale prennent en compte la rééducation fonctionnelle et la réadaptation professionnelle des personnes handicapées. Il en est de même pour la loi du 30 octobre 1946 sur les accidents du travail et les maladies professionnelles.

Une coordination se met en place avec la création (arrêté du 17 mai 1948) d'une commission interministérielle des mutilés, invalides et diminués physiques, qui participera largement à la préparation des textes qui vont suivre. La loi du 2 août 1949 prévoit le reclassement des aveugles et grands infirmes. Dans les années 1950, les commissions départementales de reclassement professionnel sont créées.

La loi du 23 novembre 1957 sur le reclassement professionnel des travailleurs handicapés. – Elle marque une étape importante. Tout d'abord, elle introduit pour la première fois le terme de « handicap » en donnant une définition exacte de ce qu'est une situation de handicap au travail (« Est considérée comme travailleur handicapé pour bénéficier des dispositions de la présente loi, toute personne dont les possibilités d'acquérir, ou de conserver un emploi sont effectivement réduites par suite d'une insuffisance ou d'une diminution de ses capacités physiques ou mentales »). Elle définit aussi bien les objectifs que les moyens de la rééducation et de la réadaptation au travail. Elle servira de base à l'élaboration de la loi d'orientation de 1975. Un Conseil supérieur pour le reclassement professionnel et social des handicapés est créé ; parmi ses attributions figure la promotion de la recherche.

La loi d'orientation du 30 juin 1975. – Élaborée en collaboration avec les milieux associatifs, elle en fait des partenaires puisqu'ils font partie du Conseil national consultatif des personnes handicapées.

L'article premier donne les objectifs généraux de la loi et définit le caractère global de la réadaptation. Le fait que l'accent soit mis sur la prévention doit être souligné. La notion d'obligation nationale est nouvelle, elle prend toute sa force dans l'énumération des intervenants dont les deux premiers sont la famille et l'État. La volonté d'insertion, chaque fois que possible, en milieu communautaire ordinaire est clairement affirmée. Le handicap n'y est pas défini, le soin de reconnaître qu'une personne est ou n'est pas handicapée est laissé à des commissions départementales (CDES et COTOREP)[1].

---

1. CDES : Commission départementale d'éducation spécialisée. COTOREP : Commission technique d'orientation et de reclassement professionnel.

Article premier : « La prévention et le dépistage des handicaps, les soins, l'éducation, la formation et l'orientation professionnelles, l'emploi, la garantie d'un minimum de ressources, l'intégration sociale et l'accès aux sports et loisirs du mineur et de l'adulte handicapés physiques, sensoriels ou mentaux, constituent une obligation nationale... »

Bilan de la loi d'orientation du 30 juin 1975. C. Lasry et M. Gagneux (1982), dans leur rapport au ministre de la Solidarité nationale, indiquent que la loi ne définit pas le handicap et que cet état de fait est à l'origine de certains infléchissements vers un régime d'assistance. C'est le cas pour les personnes qui se situent dans les franges de l'inadaptation d'origine sociale ou bien des personnes âgées lorsque les avantages vieillesse sont inférieurs aux prestations qu'elles peuvent obtenir en tant que personnes handicapées.

Cet aspect est souligné par A. Dessertine[1] : « La simplicité apparente du discours actuel dissimule, dans la réalité, une profonde ambiguïté qui pose, pour les praticiens du droit, un grave problème de terminologie... Il apparaît donc nécessaire, même si cela a été fait à maintes reprises, de procéder à un examen du sens de ces mots, dans le langage de spécialistes de la réadaptation et enfin dans celui des administrateurs et des juristes au niveau du droit national et du droit international. »

La diversité des régimes de compensation ou de réparation du handicap est un facteur de dysfonctionnement, puisqu'elle crée une véritable « hiérarchie » dans les avantages sociaux qui tient compte des circonstances d'apparition (guerre, travail, accident de voie publique, aléa thérapeutique), de la lésion plutôt que des conséquences sur le fonctionnement individuel et sur la vie

---

1. A. Dessertine, *Bilan de la politique en direction des personnes handicapées*, Paris, La Documentation française, 1983.

sociale. Ce point est également dénoncé par Christian Hernandez[1] et par Y. Lambert-Faivre[2].

Dès 1993, Cl. Lasry et M. Gagneux constatent que la loi n'a pas facilité le développement de propositions innovantes au profit de solutions « classiques ».

Le manque de coordination existe au sommet comme au niveau le plus décentralisé. Il est aggravé par une réelle ignorance des textes par une large tranche de ceux qui devraient les appliquer. Dans bien des cas (urbanisme, construction, travail, transports), tout était mis en place comme si la loi n'existait pas.

Le fonctionnement des COTOREP a fait l'objet de bien des critiques et de beaucoup de discussions.

Le 3e rapport de la Cour des comptes, consacré à l'application de la législation en faveur des personnes handicapées, rendu public en novembre 1993 met en avant la dérive de certaines aides (allocation pour adultes handicapés en particulier) au profit des victimes de la crise économique. Il fait également un bilan négatif du système de formation professionnelle et d'insertion.

Les relations des usagers avec ces commissions sont souvent difficiles. Le reproche de « froideur bureaucratique », de sensation de « passer devant un tribunal », ajoute encore au désarroi de personnes à la recherche à la fois de compréhension et de conseils judicieux. On constate, depuis peu, la raréfaction des entretiens directs, la plupart des décisions étant prises sur dossier.

Claude Lasry et Michel Gagneux avaient souligné avec vigueur le fait que les COTOREP, tout comme les CDES, souffrent de « l'absence d'un instrument fiable de mesure du handicap ».

Ils considèrent que « le recours à un barème d'invalidité pour l'attribution des allocations est contestable » dans le principe et dans les modalités pratiques.

---

1. C. Hernandez, *L'Insertion des handicapés dans la fonction publique*, Paris, La Documentation française, 1982.
2. Y. Lambert-Faivre, *Droit du dommage corporel. Systèmes d'indemnisation*, Paris, Dalloz, 3e éd., 1996.

La loi du 5 juillet 1985 sur les accidents de la circulation. – Dite encore loi Badinter, elle crée un régime spécial d'indemnisation des victimes d'accident de circulation. Elle concerne tous les accidents sur la voie publique dans lesquels est impliqué un véhicule terrestre à moteur. Elle a pour objet de faciliter et d'accélérer l'indemnisation des victimes : « Les victimes, hormis les conducteurs de véhicules terrestres à moteur, sont indemnisées des dommages résultant des atteintes à leur personne qu'elles ont subies, sans que puisse leur être opposée leur propre faute à l'exception de leur faute inexcusable si elle a été la cause exclusive de l'accident. » Cette loi, bien appliquée, permet une juste indemnisation-compensation des victimes. Cela concerne bon nombre de personnes en situation de handicap qui peuvent trouver là les moyens de leur réadaptation.

« Les victimes, hormis les conducteurs de véhicules terrestres à moteur, sont indemnisées des dommages résultant des atteintes à leur personne qu'elles ont subies, sans que puisse leur être opposée leur propre faute à l'exception de leur faute inexcusable si elle a été la cause exclusive de l'accident. »

La loi du 10 juillet 1987 : pour l'emploi, la participation plutôt que la contrainte. – Elle a été mise en place pour ajuster les mesures prévues par les textes plus anciens à une réalité économique et sociologique. L'obligation des 10 % d'emplois réservés aux victimes de guerre ou aux personnes handicapées ne fonctionnait pas. La nouvelle loi, plus réaliste, introduit aussi la notion de « partenariat » avec l'entreprise qui ne doit plus considérer qu'elle subit une contrainte sociale supplémentaire de la part des pouvoirs publics, mais qu'elle participe à un effort national utile à l'économie du pays.

L'emploi des personnes handicapées concerne tous les établissements employant au moins 20 salariés. Le quota est fixé à 6 % de l'effectif total des salariés. Ce quota a été maintenu dans la nouvelle loi de 2005.

Plusieurs possibilités autres que l'embauche de personnes handicapées sont proposées comme alternatives aux employeurs : faire travailler le secteur « protégé » (devenu « adapté » en 2005), cotiser à l'AGEFIPH[1]. Diverses aides financières sont également prévues.

Le droit de la personne handicapée et l'Europe. Harmoniser, c'est possible. – Dès 1974, un premier programme communautaire pour la réadaptation professionnelle a été mis en place et a influencé la législation[2]. La construction de l'Europe impose une harmonisation de législations disparates. Il est vrai qu'en France même on retrouve cette disparité à travers les divers régimes sociaux.

Les préoccupations d'harmonisation européenne concernent les droits sociaux de toutes les personnes handicapées, mais aussi la réparation des dommages corporels et de leurs conséquences sur les aptitudes et performances du sujet du fait d'un accident de la route. Ce point a fait l'objet d'un travail préliminaire important dirigé par J. Dessertine, présenté à l'occasion d'un colloque juridique européen qui s'est tenu à Paris en 1989. Les divergences sont nombreuses, mais l'impression d'ensemble à l'occasion de ce colloque est qu'elles ne sont pas insurmontables. À ce propos a été évoquée la solution néo-zélandaise qui admet la couverture de toutes les maladies et de toutes les lésions accidentelles, quelle que soit leur origine.

La Charte sociale européenne ratifiée partiellement ou totalement par les États membres traite, dans sa résolution AP 84/3 du 17 septembre 1984, d'un programme complet de prévention, réadaptation médicale et d'insertion socioprofessionnelle.

Le 30 juillet 1996, la Commission européenne déclarait : « La valeur fondamentale de l'égalité est à présent

1. M. Comte, *Des produits pour mieux vivre*, Rapport au secrétariat d'État à la Consommation, 1987 ; G. Broun, Cl. Hamonet, *Technologies de l'humain*, Rapport pour le ministère de la Recherche, 1989.
2. « La réparation du préjudice corporel. Vers l'humanisation des législations européennes », *Réadaptation*, n° 362, 1989, p. 3-6.

perçue comme le point de référence auquel toute autre chose doit être rapportée et elle constitue l'essence du mouvement fondé sur les droits pour les personnes handicapées. »

Dans la résolution adoptée le 20 décembre 1996, le Conseil de l'Europe invitait les États membres à promouvoir dans leurs politiques cette égalité des chances. Au terme de cette résolution, les États membres ont été invités à « examiner si leurs politiques tiennent compte notamment des orientations suivantes : permettre aux personnes en situation de handicap, y compris aux personnes gravement handicapées, de participer à la vie sociale, en tenant dûment compte des besoins et des intérêts de leurs familles et des personnes qui prennent soin de ces handicapés ; supprimer les obstacles à la pleine participation des handicapés et ouvrir tous les aspects de la vie sociale à cette participation ; […] apprendre à l'opinion publique à devenir réceptive aux capacités de ces personnes et à l'égard des stratégies fondées sur l'égalité des chances ».

Le 3 décembre 2001, le Conseil de l'Europe a approuvé la décision de faire de 2003 l'Année européenne des personnes handicapées. Parmi les objectifs énoncés figurent la sensibilisation aux droits des personnes handicapées et la recherche d'initiatives visant à les promouvoir. L'année précédente était proclamée par 600 participants issus de 34 pays différents, lors du Congrès européen des personnes handicapées à Madrid en mars 2002, la déclaration de Madrid dont l'intitulé résume le projet : « Non-discrimination plus action positive font l'inclusion sociale. »

En octobre 2004 est paru le rapport de Marc Maudinet sur l'accès des personnes handicapées aux droits sociaux en Europe aux Éditions du Conseil de l'Europe. Il intègre la notion de « situation de handicap » en référence au rapport sur l'inclusion sociale de 2002 par la Commission européenne. Il insiste sur la non-discrimination et l'accès pour tous à la participation et aux droits sociaux.

Les apports de l'Organisation des Nations unies.
Pour une politique mondiale de lutte contre les situations de handicap

Ils sont essentiels et doivent servir d'inducteur et de modèle aux pays membres. On peut dire que progressivement s'est mis en place un véritable courant mondial pour l'intégration ou inclusion dans la société des personnes handicapées.

Parmi les textes importants, nous citerons :

– la Déclaration des droits du déficient mental (20 décembre 1971) : « Le déficient mental doit, dans toute la mesure du possible, jouir des mêmes droits que les autres êtres humains » (art. 1er). « Le déficient mental a droit aux soins médicaux et aux traitements physiques appropriés ainsi qu'à l'instruction, à la formation, à la réadaptation et aux conseils qui l'aideront à développer au maximum ses capacités et ses aptitudes » (art. 2) ;

– la Déclaration des droits des personnes handicapées proclamée par l'Assemblée générale de l'Organisation des Nations unies le 9 décembre 1975 [résolution 3447 (XXX)] : « Le terme "handicapé" désigne toute personne dans l'incapacité d'assurer par elle-même tout ou partie des nécessités de la vie individuelle ou sociale normale, du fait d'une déficience, congénitale ou non, de ses capacités physiques ou mentales. » « Le handicapé a droit aux mesures destinées à lui permettre d'acquérir la plus large autonomie possible » (art. 5) ;

– l'accent est mis sur l'éthique et le respect de la personne : « Le handicapé a essentiellement droit au respect de sa dignité humaine. Le handicapé, quelles que soient l'origine, la nature et la gravité de ses troubles et déficiences, a les mêmes droits fondamentaux que ses concitoyens du même âge […]. »

En décrétant 1981 « année internationale de la personne handicapée » (1981), l'ONU a considérablement fait progresser la prise de conscience mondiale des besoins et des problèmes, jouant le rôle de catalyseur ou d'initiateur de bon nombre de décisions et d'actions.

De cet ensemble de travaux est issu un document très riche et très positif : le Programme d'action mondiale concernant les personnes handicapées. Ce petit livre vert de 74 pages a été adopté par l'Assemblée générale des Nations unies lors de sa 37e session le 3 décembre 1982.

Parallèlement a été décrétée une Décennie des Nations unies pour les personnes handicapées (1983-1992).

Le bilan de cette décennie a été dressé ; il est loin d'être très positif, surtout pour les pays les plus pauvres. Le retard de la mise en place des soins aux personnes handicapées a été souligné.

Ce document, que nous avons cité à plusieurs reprises, réaffirme que les personnes handicapées ont « les mêmes droits que tout être humain, et notamment le droit à l'égalité des chances ».

Ce document est divisé en trois parties : I. « Objectifs. Historique et concepts » ; II. « Situation actuelle » ; III. « Propositions en vue de la mise en œuvre d'un programme d'action mondial concernant les personnes handicapées ».

Ce dernier chapitre est très complet et aborde tous les aspects du problème, y compris la formation du personnel, la coopération technique et économique, l'information et l'éducation publique, la recherche et l'évaluation.

« Le handicap résulte donc dans la perte ou la limitation des possibilités de participer sur un pied d'égalité avec les autres individus à la vie de la communauté. »

Pour une éducation civique sur le handicap. On doit regretter qu'un programme aussi riche et aussi complet soit insuffisamment diffusé et connu seulement dans les cercles sensibilisés au phénomène du handicap, mais pas dans les milieux juridique, économique, de l'éducation, de la santé et, d'une manière plus générale, dans le grand public.

Il s'agit là d'un véritable programme d'éducation civique qui doit, à notre sens, être enseigné à l'école fondamentale si l'on veut un jour voir se modifier le comportement des individus et la société face aux personnes handicapées.

La convention relative aux droits des personnes handicapées de l'ONU. – Un très grand pas a été franchi récemment instaurant un nouveau droit supranational irrépressible des personnes en situation de handicap en les reliant à la charte des Nations unies et à la Déclaration universelle des droits de l'homme en décembre 2006. L'ONU « reconna[ît] que la notion de handicap évolue et que le handicap résulte de l'interaction entre des personnes présentant des incapacités et les barrières comportementales et environnementales qui font obstacle à leur pleine et effective participation à la société sur la base de l'égalité avec les autres » et se trouve « [préoccupé] par le fait que les personnes handicapées… continuent d'être confrontées à des obstacles à leur participation à la société en tant que membres égaux de celle-ci et de faire l'objet de violations des droits de l'homme dans toutes les parties du monde. »

Une convention relative aux droits des personnes handicapées, signée par la France, est proposée à tous les États membres et dispose : « Les États parties s'engagent à garantir et à promouvoir le plein exercice de tous les Droits de l'homme et de toutes les libertés fondamentales de toutes les personnes handicapées sans discrimination d'aucune sorte fondée sur le handicap. » Tous les aspects de la vie privée et de la vie publique sont abordés dans ce texte exhaustif qui consacre dans son article 19 le terme d'« inclusion » dans la société, qui remplace « insertion » et « intégration » et s'oppose radicalement à exclusion.

La loi n° 2007-308 du 5 mars 2007 portant réforme de la protection juridique des majeurs. – Elle remplace la loi sur les incapables majeurs de 1968. Elle est entrée en application le 1er janvier 2009 et a pour but de renforcer les droits des adultes protégés. Elle maintient les trois régimes de protection (la sauvegarde de justice, la curatelle et la tutelle) avec une nouveauté importante, le mandat de protection future. « Toute personne majeure ou mineure émancipée ne faisant pas l'objet d'une mesure de tutelle peut charger une ou plusieurs personnes, par un même mandat, de la représenter pour le cas où, pour l'une des causes prévues à l'article 425, elle ne pourrait plus pourvoir seule à ses intérêts. » Le mandat pourra être conclu par acte sous seing privé ou par acte notarié. Il prendra effet lorsqu'il sera établi que le mandant ne peut plus pourvoir seul à ses intérêts. Le mandataire devra alors produire au greffe du tribunal d'instance le mandat et un certificat médical. Le greffier visera le mandat et datera sa prise d'effet puis le restituera au mandataire. Le mandataire doit rendre compte de l'exécution de son mandat à la personne protégée et au juge. L'article 425 de la loi prévoit les causes nécessitant l'ouverture d'une mesure de protection : « Toute personne dans l'impossibilité de pourvoir seule à ses intérêts en raison d'une altération, médicalement constatée soit de ses facultés mentales, soit de ses facultés corporelles de nature à empêcher l'expression de sa volonté, peut bénéficier d'une mesure de protection juridique. »

Loi du 23 juin 2006 sur le droit des successions. – Le droit des successions n'avait pratiquement pas évolué depuis l'origine du Code civil (1804). La loi de 2006 en a réformé, plus de 200 articles. Parmi les dispositions de la réforme, certaines innovations sont très intéressantes pour assurer la sécurité des enfants handicapés.

Le mandat posthume vous permet, du vivant de la personne, de désigner un mandataire avec mission d'assurer votre protection personnelle et, à votre décès, d'administrer et gérer tout ou partie du patrimoine successoral, notamment lorsque les héritiers ne sont pas en mesure de le faire (enfants mineurs ou handicapés) et lorsque cette gestion requiert des compétences spéciales (gestion d'entreprise).

Handicap et discrimination. – Nous allons vers des lois antidiscrimination sur le handicap. Jusque-là, le droit français du handicap est apparu comme un droit de la solidarité et de la discrimination positive destiné à rétablir l'égalité entre les citoyens. La loi du 12 juillet 1990 porte sur la protection des personnes en raison de leur état de santé ou de leur handicap. C'est le sida qui a été à l'origine de cette loi, comme l'a souligné Mme Cacheux (*JO* du 18 avril 1990), rapporteur du projet de la loi devant l'Assemblée nationale : « La maladie du sida a agi comme un révélateur des discriminations ou exclusions engendrées par l'état de santé ou le handicap. »

C'est aussi sur un principe de non-discrimination qu'est bâti le dispositif américain pour les personnes handicapées, celles-ci étant considérées comme une des nombreuses *minorities* identifiées dans ce pays. Cette question de la non-discrimination est l'un des points forts de la déclaration de Madrid (2002) et apparaît comme le levier principal de la loi de 2005. Toute barrière à la libre circulation ou à l'égalité des chances face au travail pouvant être considérée comme un acte de discrimination. Cela s'inscrit dans le cadre général de la lutte contre toute forme de discrimination qui a conduit récemment (février 2004) à proposer (Bernard Stasi, médiateur de la République) une Haute Autorité de lutte contre les discriminations (Halde). Autorité administrative indépendante, elle est créée le 30 décembre 2004 ; elle s'est mise en place avec efficacité, notamment contre les discriminations liées à la santé et aux situations de handicap. De cette façon, on sait qu'elles sont la deuxième cause de discrimination au travail (19 %), immédiatement après l'origine. Selon un récent rapport de l'INSEE, 41 % des jeunes handicapés affirment souffrir de discrimination notamment dans le milieu professionnel. Créée en 1973, la Médiation de la République, instance indépendante du gouvernement, a joué un rôle important dans les conflits que peuvent rencontrer les personnes en situation de handicap avec les administrations.

La loi du 11 février 2005 pour l'égalité des droits et des chances, la participation et la citoyenneté des personnes handicapées[1]

Reporté avec un changement de secrétaire d'État, soumis à de fortes critiques venant d'une partie du monde associatif, ce texte, malgré quelques aménagements ultimes, ne répond pas aux aspirations de ceux qui espéraient un vaste projet social moderne interconnecté avec les questions de société, de santé, de protection sociale, du vieillissement de la population (y compris des personnes en situation de handicap), du nombre croissant de victimes de violences, des progrès de la technologie… Il est présenté non pas comme un nouveau projet, mais comme une réforme de la loi du 18 juin 1975. Le texte de loi sera finalement adopté par l'Assemblée nationale, après d'âpres discussions, le 3 février 2005. Il a été promulgué le 11 février 2005 et publié au *Journal officiel* le lendemain, 12 février 2005. Composée de 101 articles, cette loi a donné lieu à 80 textes d'application jusqu'en juin 2009.

Une définition juridique du handicap

La loi définit le handicap, ce que ne faisait pas la loi de 1975, comblant ainsi un vide juridique lourd de conséquences. « Art. L. 114. – Constitue un handicap, au sens

---

1. Avec la collaboration de Sylvie Tamain, psychologue AFPA.

de la présente loi, toute limitation d'activité ou restriction de participation à la vie en société subie dans son environnement par une personne en raison d'une altération substantielle, durable ou définitive d'une ou plusieurs fonctions physiques, sensorielles, mentales, cognitives ou psychiques, d'un polyhandicap ou d'un trouble de santé invalidant. »

Cette définition fait, à juste titre, la distinction entre l'*activité personnelle* au quotidien (actes indispensables de la vie courante) et la *participation à la vie en société* qui est l'intégration-inclusion sociale. Elle mentionne l'environnement dans lequel vit la personne, c'est-à-dire les situations de la vie qu'elle rencontre. Ce terme de « situations » a été écarté par les législateurs pour des raisons, semble-t-il, plus subjectives que sociologiques malgré sa polyvalence et sa plasticité qui permettent de l'utiliser aussi bien pour les situations de la vie personnelle (toilette) que pour la participation sociale (travail). De vibrants plaidoyers se sont pourtant fait entendre lors de la discussion de la loi à l'Assemblée nationale, tant du côté de la majorité en place que de l'opposition, mettant l'accent sur le caractère implicitement discriminant de l'expression « personne handicapée » par rapport à celle, plus justifiée, de « personne en situation de handicap ». Cette dernière formulation a aussi le mérite de positionner le problème à sa vraie place : c'est l'organisation sociale qui handicape certaines personnes, ce n'est pas la personne qui est la cause de son handicap.

L'inclusion des handicaps d'origine psychique est une avancée importante, car elle ne figurait pas dans la précédente loi. Le terme « cognitif », difficile à faire circuler dans le grand public, est inutile, car redondant avec l'expression « handicap mental » qui regroupe précisément toutes les personnes avec des difficultés d'apprentissage et d'utilisation des connaissances acquises. Il a été voulu par les lobbies associatifs pour que le cas très difficile des traumatisés cérébraux ne soit pas oublié. Il en est de même du « polyhandicap », terme vague déjà inclus, de fait, dans la définition à partir des quatre grands groupes de fonctions. Quant aux « troubles de santé invalidants », ils apparaissent comme un archaïsme inutile à cause des termes vagues de « trouble de santé » et d'« invalidant » (qui aurait pu être remplacé par « handicapant »). Les préjugés et les habitudes langagières qui les véhiculent ont la vie dure ! Il est clair pour tous que les limitations fonctionnelles ont pour origine d'avoir été victime d'une maladie ou d'un traumatisme. D'autres critiques peuvent être faites sur la notion d'« altération substantielle » qui est floue et renvoie aux imprécisions des outils de mesure utilisés jusqu'à maintenant. Cette définition a le mérite d'exister – on peut espérer qu'elle ne sera pas utilisée dans un sens restrictif.

Une loi qui établit la non-discrimination comme un principe et un levier juridique pour la lutte contre le rejet des personnes handicapées

À l'instar du droit américain des personnes handicapées et en harmonie avec un courant général de lutte contre toutes les formes de discrimination, la loi du 11 février 2005 se veut une loi antidiscrimination. Il y a beaucoup à faire, car une étude récente impliquant l'Association des paralysés de France (2004-2005) a montré que le handicap était pour l'emploi un facteur de discrimination plus agissant que l'âge, le sexe ou l'origine ethnique. Ainsi, ne pas pouvoir accéder dans une épicerie polyvalente, le soir, devient un acte de discrimination. Cela s'applique au travail, à l'école et dans toutes les activités de la vie.

Garantir le libre choix du projet de vie. – Une distinction est faite entre : la compensation des conséquences de la limitation fonctionnelle (mise en place de la prestation de compensation) et les moyens d'existence tirés du travail (salaires) ou de la solidarité nationale (garanties de ressources et allocations).

Permettre une participation effective à la vie sociale. La cité doit être organisée autour du principe généralisé de l'accessibilité pour tous. Une véritable intégration scolaire doit être réalisée. L'insertion professionnelle doit être facilitée. Le cadre de vie doit être plus accessible.

Placer la personne au centre du dispositif. – En substituant une logique de service à une logique administrative par l'évaluation des aptitudes et des besoins de la personne.

En créant, dans chaque département, un guichet unique d'accueil, information, conseil et formalisation des demandes : la « Maison départementale des personnes handicapées », gérée par la « Commission des droits et de l'autonomie ».

La loi crée une prestation de compensations humaines, techniques et animalières au besoin. L'allocation aux adultes handicapés est revalorisée et peut être cumulée avec des ressources d'activité. L'obligation est faite aux services de l'Éducation nationale d'assurer la formation scolaire et universitaire des personnes en situation de handicap.

L'obligation d'accueillir 6 % de personnes handicapées pour les employeurs de 20 salariés et plus est étendue avec pénalités au secteur public. Un fonds pour l'insertion est créé. Les pénalités pour les employeurs qui n'appliquent pas la loi sont lourdes.

La loi met l'accent sur la prévention, la recherche et l'accès aux soins, et a créé un Observatoire national sur la formation et la recherche sur le handicap.

Le financement des compensations serait assuré par une contribution nationale de solidarité obtenue par le travail d'une journée fériée dans une année.

Cette loi apparaît comme une étape entre le droit à la solidarité et le droit pour tous à l'autonomie qui doit rester la revendication de base. Outre les difficultés de mise en place (maisons départementales du handicap), la question du financement, on peut craindre une difficulté à gérer un dispositif départemental lourd. La question de la formation du personnel, notamment médical, au handicap et à son évaluation reste préoccupante face aux attentes. Trop peu de formations de qualité existent actuellement. L'effort doit porter, de façon prioritaire, sur ce point. Les moyens d'évaluer prévus restent trop imprécis et trop proches de l'esprit de catégorisation bureaucratique qui a dominé jusque-là.

Le suivi de la loi. – La commission des affaires sociales du Sénat (rapport Paul Blanc du 3 juillet 2006) a fait le constat d'un bilan contrasté : « La loi a enclenché une dynamique inédite et des efforts incontestables ont été déployés, notamment par les conseils généraux et leurs partenaires, pour en rendre applicables les grands principes et installer les maisons départementales des personnes handicapées. Mais les mentalités changent lentement, et le législateur doit rester vigilant pour ne pas décevoir les attentes suscitées. »

La scolarisation en milieu ordinaire a progressé de 80 % en cinq ans. L'accessibilité va trop lentement, les délais pour le diagnostic sont trop longs, donc peu incitatifs. Pour l'emploi, le secteur public est peu actif alors que l'argent est là.

Dix après sa promulgation, la loi de 2005 n'a pas atteint ses objectifs devant les résistances de l'ensemble du corps social. Les reports successifs de la date tampon pour la mise en conformité des bâtiments en est une illustration. L'obstacle principal à son application est la MDPH, dispositif trop lourd, ne disposant pas des méthodes adéquates d'évaluation du Handicap. Un changement radical de procédure s'impose, intégrant davantage les milieux professionnels de la Rééducation-Réadaptation.

CHAPITRE VII

Le handicap et les grandes exclusions des personnes en situation de handicap : le travail, la ville, l'âge...

> « C'est parce que nous sommes malades qu'on nous exclut. »
>
> Jack London,
> *L'Île aux lépreux.*

Inadaptation, exclusion et handicap

Le terme d'« inadaptation » est souvent utilisé et sa relation avec celui de « handicap » doit être examinée. Cette réflexion est liée au phénomène d'exclusion si bien décrit par René Lenoir, ancien secrétaire d'État à l'Action sociale, dans son livre *Les Exclus*. Le terme est apparu, selon Romain Liberman[1], en 1944 sur une proposition du Centre technique national de l'enfance déficiente et en danger moral.

Il semble que le mot « inadaptation » recouvre une réalité plus large que le mot « handicap » qui, dans l'esprit de certains, sous-entend une lésion, une atteinte corporelle préalable. Mais nous avons montré que le sens du mot « handicap » tend à s'élargir surtout du fait de sa banalisation, qu'il décrit toujours un phénomène s'inscrivant dans la vie sociale au niveau du cadre de vie d'une personne

---

1. R. Liberman, *Handicap et maladie mentale*, Paris, Puf, coll. « Que sais-je ? », n° 2434, 5ᵉ éd., 2004.

et que sa signification nous apparaît, aujourd'hui, bien peu différente de celle d'« inadaptation ».

C'est bien ce que veut dire René Lenoir lorsqu'il écrit : « Dire qu'une personne est inadaptée, marginale ou asociale, c'est constater simplement que, dans la société industrialisée et urbanisée de la fin du XIXe siècle, cette personne, en raison d'une infirmité physique ou mentale, de son comportement psychologique ou de son absence de formation, est incapable de pourvoir à ses besoins, ou exige des soins constants, ou représente un danger pour autrui, ou se trouve ségréguée soit de son propre fait, soit de celui de la collectivité. »

Il n'y a guère de différence fondamentale entre cette définition de l'inadaptation et la notion moderne de situations de handicap. En revanche, la segmentation classique entre physique, mental et social qu'il propose doit être revue à la lumière des apports conceptuels nouveaux dans ce domaine. Par essence, le handicap est social (il s'extériorise dans la vie sociale), il n'y a donc pas lieu d'individualiser une catégorie particulière de « sociaux ». Cependant, pauvreté et handicap sont trop souvent associés.

Le normal, une notion à relativiser. – « Dire que dans une société donnée des êtres sont en marge de la normale ne signifie nullement que la norme de cette société a valeur divine ou universelle. Il apparaît donc que l'inadaptation est une situation dans laquelle la personne est exclue du groupe dominant, c'est-à-dire du groupe composé d'individus qui considèrent posséder les caractéristiques reconnues comme étant la "norme" de leur groupe. Nous sommes, là, à la racine de l'exclusion sociale, c'est le refus de la différence qui pousse à exclure l'étranger, le handicapé, le fou et quelquefois le vieillard… La résistance des mentalités est plus forte que la "Loi" » (René Lenoir).

Le travail et les personnes en situation de handicap[1]. Ce qui est le lot quotidien des gitans (par ailleurs en tête pour la discrimination au travail) est bien souvent,

---

1. Avec la contribution de Sylvie Tamain, psychologue AFPA.

aussi, celui des personnes handicapées. Il ne faut pas sous-estimer la force des idées préconçues, des archétypes, surtout dans certains contextes de crise ou de difficultés dans le monde du travail, l'intégration des personnes handicapées pouvant être vécue comme une menace pour l'emploi, voire comme un mode de pression de la part des employeurs. La personne handicapée pouvant être imaginée comme une personne passive qui ne réclamera pas facilement d'augmentation de salaire, qui ne fera pas facilement grève, etc. À l'inverse, le préjugé à l'embauche est très fort et, à compétences égales et équivalence de diplômes, la personne qui est en fauteuil roulant a beaucoup moins de chance d'être recrutée. (« Vers un emploi durable », colloque pour le maintien dans l'emploi des « personnes handicapées », organisé par le Conseil national handicap, Paris, Palais du Luxembourg, 11 mai 2009).

Ainsi, le déséquilibre entre les exigences du milieu et les caractéristiques ou le type d'aptitudes d'une personne ou d'un groupe de personnes conduit à des phénomènes de rejet qui ont pour conséquence l'exclusion. Nous avons développé les fondements culturels de cette exclusion au chapitre II. Ils reposent sur l'amalgame entre déformations, difformités, monstruosités, différences d'apparence ou de fonctionnement, et impureté qui s'exprime au mieux à propos des cagots du Moyen Âge perçus comme « monstrueux dans leur corps et dans leur âme[1] ». Le corollaire est la pauvreté que l'on retrouve aujourd'hui si l'on regarde le niveau de vie des personnes avec des limitations fonctionnelles et, parmi elles, le taux de demandeurs d'emploi ou de personnes en emploi précaire et peu valorisant.

La situation des personnes en situation de handicap face au travail est catastrophique en France et dans le monde. Le nombre de demandeurs d'emploi atteint des chiffres vertigineux (20 à 50 % selon les façons d'apprécier et le

---

1. A. Lafay, *Le Statut du malade (XVIe-XXe siècle). Approches anthropologiques*, Paris, L'Harmattan, 1991, p. 41.

chômage et le handicap). En novembre 2008, avant la survenue des effets de la « crise mondiale » sur l'emploi, il est estimé à 17 %, contre 7,2 % dans l'ensemble de la population. Si on élargit la notion de « handicap » à tous ceux qui, pour des raisons de santé, ont des problèmes avec l'emploi, ce sont 27 % des personnes inscrites comme demandeurs d'emploi qui sont concernées au niveau national. Le licenciement pour inaptitude est l'un des motifs de cette situation. Fin septembre 2008, le nombre de demandeurs d'emploi handicapés immédiatement disponibles s'élevait à 202 000, en baisse de 3,4 % en un an. Ce qui est interprété comme un effet positif de la loi.

Il y a des obstacles considérables à l'embauche et au maintien dans l'emploi, du fait du niveau de formation et de qualification qui est très inférieur à la moyenne nationale. Il s'y ajoute une discrimination au travail qui est, selon la Halde (2008), la deuxième cause (21 %) peu après l'origine (29 %) et loin devant l'âge (5 %) et le sexe (4 %).

En 2006, il était de 4,4 % dans le privé – guère mieux qu'en 2002 (4,2 %) – et de 3,5 % dans la fonction publique. La moitié des emplois occupés par les personnes handicapées se concentre sur 22 métiers, avec une prédominance pour ceux d'agents d'entretien et agents administratifs. Une grande majorité de personnes handicapées (575 000) travaillent en milieu ordinaire de travail, 105 000 en établissements et services d'aide par le travail et 35 000 sont des travailleurs indépendants.

Le droit social s'est pourtant préoccupé de longue date du travail des personnes handicapées, notamment de celles qui étaient victimes d'un accident du travail ou de faits de guerre. C'est d'ailleurs à propos du travail qu'a été défini, juridiquement en tout premier le handicap dans la loi du 23 novembre 1957 : « Est considérée comme travailleur handicapé toute personne dont les possibilités d'obtenir ou de conserver un emploi sont réduites du fait d'une insuffisance ou d'une diminution de ses capacités physiques ou mentales. »

Ces définitions ne sont pas reprises par la loi du 30 juin 1975 qui charge les COTOREP (Commission technique d'orientation et de reclassement professionnel) de chaque département de la reconnaissance du handicap et du reclassement professionnel.

La **loi du 10 juillet 1987** impose à l'ensemble des employeurs (20 salariés et plus) une obligation d'emploi égale à 6 % de l'effectif salarié de travailleurs handicapés. La **loi du 11 février 2005** renforce dans l'entreprise le principe d'égalité de traitement entre tous les salariés et introduit de nouvelles dispositions contraignantes pour les employeurs, créant la Caisse nationale pour l'autonomie (CNSA) pour recueillir les contributions des employeurs.

Les personnes handicapées lourdement touchées par le chômage (Agence France Presse, 17 novembre 2008). Malgré une législation contraignante et des pénalités renforcées pour les entreprises qui n'appliquent pas la loi, les personnes handicapées souffrent toujours d'un taux de chômage deux fois supérieur à celui des personnes valides. Le chômage, bien que légèrement en baisse, reste élevé, autour de 17 % chez les personnes actives handi-capées (contre 7,2 % pour l'ensemble de la population active). Fin septembre 2008, le nombre de demandeurs d'emploi handicapés immédiatement disponibles s'éle-vait à 202 000, en baisse de 3,4 % en un an. Plus d'un demandeur d'emploi handicapé sur quatre (27 %) s'est inscrit au chômage en raison d'un problème de santé, notamment à la suite d'un licenciement pour inaptitude.

Les personnes en situation de handicap occupent des postes moins qualifiés que l'ensemble de la population. Selon l'AGEFIPH (fonds d'insertion pour l'emploi des handicapés), 52 % des salariés handicapés sont ouvriers (contre 35 % en général), et 20 % occupent des postes de cadres, professions intermédiaires ou techniciens (contre 43 %). La moitié des emplois occupés par les personnes handicapées se concentre sur 22 métiers, avec une prédominance pour ceux d'agents d'entretien et agents administratifs. Une grande majorité de personnes handicapées (575 000) travaillent en milieu ordinaire de travail, 105 000 en établissements et services d'aide par le travail, et 35 000 sont des travailleurs indépendants (AFP, 17 novembre 2008).

Les nouvelles dispositions de la loi vis-à-vis des employeurs, y compris ceux de l'État, ont créé une évolution importante : la recherche de personnes reconnues travailleurs handicapés par les maisons du handicap à embaucher. Les organismes d'accompagnement au travail, les organismes formateurs, l'AFPA ont ici à jouer un rôle important de mise en contact. Les forums handicap-emploi mettant en contact employeurs et personnes handicapées sont aussi un moyen d'accès au marché du travail pour ceux qui en sont, aujourd'hui, les plus exclus.

Un bon nombre (105 000) travaille en milieu adapté (ESAT). Les effets de l'âge s'y font ressentir plus durement pour une population de personnes souvent fragilisée.

La loi de 2005 renforce l'obligation d'emploi de 6 % de travailleurs handicapés (loi de 1987) qui s'applique aux établissements de 20 salariés ou plus et l'étend aux trois fonctions publiques avec la création d'un fonds pour l'insertion professionnelle (FIPH) équivalent de l'AGEFIPH.

Pour s'acquitter de cette obligation, cinq possibilités distinctes peuvent se compléter :

- embaucher directement des travailleurs handicapés ;
- sous-traiter aux entreprises adaptées ou aux ESAT (dans la limite de 50 % de son obligation d'emploi) ;
- conclure un accord d'entreprise : pendant sa durée, l'entreprise est exonérée de sa contribution. Il est signé entre la direction de l'entreprise et les instances représentatives. Un agrément est délivré par la direction départementale du travail et de l'emploi. Généralement signé pour trois ans, il doit comprendre au moins deux volets parmi les suivants :

un plan d'embauche, un plan de maintien dans l'emploi, un plan d'insertion et de formation, un plan d'adaptation aux mutations économiques ;
- accueillir des stagiaires handicapés (dans la limite de 2 % de son effectif) ;
- verser une contribution à l'AGEFIPH : cette contribution est calculée sur l'effectif de chaque établissement de l'entreprise et représente de 400 à 600 fois (selon la taille) le SMIC horaire par unité manquante. En 2010, le taux passera à 1 500 fois le SMIC horaire pour les établissements qui, pendant trois ans consécutifs, n'auront pris aucune mesure relevant des trois premières possibilités ;
- dépenses déductibles à concurrence de 10 % comme, par exemple, la sensibilisation du personnel ou la formation de travailleurs handicapés.

Jusqu'en 2005, tout bénéficiaire de la loi du 10 juillet 1987 représentait une unité à laquelle pouvaient s'ajouter des unités supplémentaires liées à des critères particuliers (âge, importance du handicap...).

Ce système est supprimé à partir de 2006. Toutefois, plusieurs dispositions permettent de faire bénéficier l'employeur d'une minoration de sa contribution comme la reconnaissance de la « lourdeur du handicap », des dépenses spécifiques (dans la limite de 10 % de la contribution) correspondant par exemple à la réalisation de travaux d'accessibilité ou des actions de sensibilisation du personnel.

La loi de février 2005, en modifiant les calculs de la contribution, pénalise plus fortement les entreprises et encourage celles qui s'engagent. Les entreprises cherchent à recruter activement des travailleurs handicapés et sont en difficulté pour les trouver du fait des caractéristiques du public. En effet, par rapport à l'ensemble des demandeurs d'emploi, la population des demandeurs d'emploi travailleurs handicapés est plus masculine (58 % contre 47 %), plus âgée (âge moyen 42 ans au lieu de 36 pour l'ensemble de la population demandeur d'emploi) et moins qualifiée (80 % à un niveau inférieur ou égal au CAP BEP). Le chômage des travailleurs handicapés est le double de celui de la population active et la durée du chômage est plus longue pour eux.

L'âge est devenu un facteur d'exclusion très puissant et paradoxal à une époque où l'on a repoussé ses effets comme jamais dans l'histoire de l'humanité. Cela est apparent dès la quarantaine et s'affirme à 50 ans, car il est difficile dès cet âge de trouver un emploi et d'entrer dans une formation. La ségrégation par l'âge constitue un obstacle, ne serait-ce qu'à l'admission ou au maintien, dans certains types d'établissements de réadaptation ou d'accueil, de personnes en situation de handicap. C'est-à-dire que l'on n'a plus toutes ses chances à partir de l'âge mûr. On peut parler de discrimination ou même de « sélection ».

René Lenoir souligne que, « si l'inadaptation touche plus particulièrement certains milieux défavorisés, elle n'épargne aucune classe sociale et aucun âge de la vie ».

À cet égard, le mode de civilisation urbaine, l'organisation de l'espace au profit de la circulation des véhicules créent bien des situations « handicapantes » dont sont victimes les personnes les plus faibles, donc les personnes âgées, comme l'a bien montré l'étude conjointe de l'OMS et de l'OCDE : *La Personne âgée dans la circulation*[1].

Le plan national « Bien vieillir » 2007-2009 a été présenté au cours du colloque qui s'est tenu à Paris le 24 janvier 2007 sous la présidence de M. Philippe Bas, ministre délégué à la Sécurité sociale, aux Personnes âgées, aux Personnes handicapées et à la Famille. Il vise à inciter les seniors à adopter des attitudes positives pour un vieillissement en bonne santé. Il a pour objectifs de promouvoir des stratégies de prévention des maladies, des limitations fonctionnelles pour éviter la perte d'autonomie et la désocialisation ; des comportements

---

1. *La Personne âgée dans la circulation*, rapport d'un groupe d'experts OCDE et OMS édité par l'OCDE, Paris, 1985.

favorables à la santé, d'améliorer l'environnement individuel et collectif et de la qualité de vie de la personne, de favoriser le rôle social des seniors.

« L'importance des effets de l'âge cumulés avec ceux des personnes en situation de handicap qui, elles aussi, vieillissent a fait apparaître pour les caisses de sécurité sociale un cinquième risque : celui de la perte d'autonomie qui a un coût ; celui de la dépendance technique, animale ou humaine. En même temps, on observe que le recours à la famille pour prendre soin des vieux parents devenant incapables d'effectuer seuls les actes essentiels de la vie devient plus difficile (moins d'enfants qu'autrefois ; mobilité professionnelle ; familles dispersées, recomposées, femmes travaillant…) » (J.-C. Henrard, collectif « Une société pour tous les âges »).

Le vieillissement de la population française, sans cesse en accroissement, joue et jouera un rôle primordial dans la politique face au handicap. Ce point est apparu lors de la mise en place de la réforme des retraites et, plus récemment, du problème de la dépendance des personnes âgées, même si on semble en faire un cas à part comme le laisse entendre cette phrase de Marianne Montchamp qui a fait voter la loi de 2005 : « La dépendance des personnes âgées est un risque qui n'est pas certain. Le handicap n'est pas un risque, mais une situation. Confondre risque nouveau avec handicap serait contre-productif[1]. » Et pourtant, c'est bien des situations de handicap des personnes les plus âgées dont il s'agit même si on observe un net recul des effets de l'âge.

Espace, barrières architecturales et exclusions. – Le mouvement des chartes « Ville et handicap[2] », qui s'est déclenché en 1988 et 1989, a été l'occasion de mettre en œuvre une conception d'un urbanisme dans lequel l'accessibilité, au sens large, serait l'une des exigences

---

1. 11 fév. 2011, AFP.
2. Congrès « Ville et handicap », Nîmes, janvier 1989.

premières des concepteurs et des gestionnaires des espaces urbains et des règles du « bien-vivre ». Mais il n'a pas été suivi des effets escomptés, et de grands retards ont été accumulés en France, surtout si l'on effectue une comparaison avec les villes d'Europe du Nord ou d'outre-Atlantique et, même maintenant, avec l'Europe du Sud. Les nouveaux textes de loi sur l'accessibilité de 1992 sont intégrés dans le dispositif législatif général de l'urbanisme et permettent aux associations de se porter partie civile en cas de non-application.

Elle est un objectif majeur de la loi de 2005. Des dates butoirs ont été fixées et ont été reculées. Les observateurs de la progression des effets de la loi s'accordent à dire que la progression est lente et que l'on a l'impression que bien des responsables vont attendre le dernier moment, au risque de manquer des moyens nécessaires, surtout en période économique critique. Pendant ce temps-là, les fauteuils et les pieds incertains se heurtent à des trottoirs insuffisamment abaissés (seul le niveau zéro est acceptable), et on ne peut pas faire les soldes, car les magasins sont inaccessibles. Et, pourtant, certaines villes ont pris les devants, comme Beauvais pour mettre en place une stratégie urbanistique efficace. On sent bien que, à part quelques exceptions, ce n'est pas ce qui préoccupe en premier les maires de France.

L'accessibilité et la loi du 11 février 2005. – Le principe d'accessibilité pour tous, quelle que soit l'origine du handicap, est réaffirmé. Les critères d'accessibilité et les délais de mise en conformité sont redéfinis. Ainsi, les établissements recevant du public et les transports collectifs ont dix ans pour se mettre en conformité avec la loi. Autre exemple : les grandes chaînes de télévision auraient dû en 2010 sous-titrer l'ensemble de leurs programmes.

CHAPITRE VIII

La réadaptation, l'autonomie, la dépendance : les mots pour les dire

Définir la réadaptation[1]

La réponse aux situations de handicap est la réadaptation, ou l'adaptation quand il s'agit d'enfants. Mot-clé de la médecine de rééducation, il désigne le versant social incontournable de cette pratique médicale, incluant la notion de compensation, mais aussi sa dimension éducative. L'adjonction de « sociale » met l'accent sur le premier aspect, celle de « médicale » met l'accent sur l'articulation avec l'action médicale et paramédicale. En fait, elle est médico-sociale au sens vrai avec un trait d'union et non plus de séparation entre les deux termes.

C'est l'ensemble des moyens médicaux, psychologiques et sociaux qui permettent à une personne en situation de handicap, ou menacée de l'être, du fait d'une ou plusieurs limitations fonctionnelles, de mener une existence aussi autonome que possible avec ou sans dépendances.

La réadaptation est un processus lent qui doit être continu et, par conséquent, commencé très tôt ; dès le stade d'installation des lésions et des limitations fonctionnelles et au début du processus de vieillissement. C'est la personne handicapée qui est le premier acteur de sa réadaptation et de sa réinsertion en lien avec l'équipe

---

1. Claude Hamonet, Marie de Jouvencel, *Handicap. Des mots pour le dire, des idées pour agir*, Paris, Les Écrivains, 2004.

de rééducation et réadaptation et l'entourage (familial, social, professionnel).

Réadaptation, dépendance et autonomie

Il n'est pas possible de parler de handicap et de réadaptation sans aborder le terme de « dépendance ». Ce mot a été très utilisé, tout particulièrement dans les milieux gériatriques et gérontologiques où l'on parle volontiers des « personnes âgées dépendantes », ce qui est stigmatisant. La notion de dépendance a été remarquablement développée par Bernadette Veysset[1]. Elle montre que le terme « dépendance » (du latin *dependere* : « pendre, suspendre ») a connu un double sens : l'un « négatif » qui exprime la soumission d'une personne à l'autre, l'autre « positif » d'échanges, ce qui souligne le fait que la vie en société est faite d'interdépendances.

« Autonomie » est un mot d'origine grecque (*otos nomein* : « se gouverner soi-même »). Ce terme a lui aussi connu un grand succès dans le monde médico-social du handicap et du vieillissement : bilans d'autonomie des ergothérapeutes[2], grilles d'autonomie, perte d'autonomie, etc. Il est assez commun d'opposer autonomie et dépendance et d'assimiler la dépendance et le handicap. Il s'agit de contresens qui viennent encore ajouter à la confusion des mots et des concepts.

Le terme « dépendance » doit être utilisé chaque fois qu'une personne dépend d'une intervention technique extérieure (canne, médicament, contrôle d'environnement, collecteur à urines, etc.) ou de l'aide partielle ou totale d'une autre personne (auxiliaire de vie, aide ménagère…).

---

1. B. Veysset, J.-P. Deremble, *Dépendance et Vieillissement*, Paris, L'Harmattan, 1988.
2. Ergothérapeute : professionnel de la santé qui, le plus souvent au sein d'une équipe, évalue les capacités fonctionnelles et les situations de handicap, améliore le potentiel fonctionnel de la personne et réduit les contraintes situationnelles handicapantes.

Dépendance sans handicap. – On peut être dépendant sans handicap. C'est le cas de la personne atteinte d'une lésion motrice des deux membres inférieurs qui utilise un fauteuil roulant à commande manuelle : elle dépend de son fauteuil pour se déplacer, mais elle n'est plus handicapée pour se rendre d'un point à l'autre de son appartement s'il n'y a pas d'obstacle infranchissable sur le parcours. De même, une personne qui a une lésion visuelle et est appareillée par des lunettes est dépendante de ses lunettes qui la « libèrent » de sa situation de handicap pour lire ou regarder la route lorsqu'elle conduit.

En fait, toute vie sociale n'est possible qu'au prix d'une multitude de dépendances, c'est ce qu'exprime Edgar Morin lorsqu'il écrit : « Toute autonomie se construit dans et par la dépendance écologique[1]. »

Autonomie avec dépendance. – « C'est la possibilité pour une personne de réaliser une activité humaine personnelle ou sociale et d'en décider librement. Cette réalisation ne peut, dans certains cas, se faire qu'au prix de la compensation par une aide technique, animale ou humaine. » Le terme « autonomie » doit être utilisé dans un sens à la fois civique et éthique.

C'est ainsi qu'une personne handicapée perd son autonomie de citoyen si elle est placée sous tutelle par une décision judiciaire. Elle ne peut ni voter ni décider elle-même de la gestion de ses biens. Cependant, le tuteur et l'action du juge lui permettent de continuer à vivre sans être en difficulté économique et en la protégeant de personnes malhonnêtes. En revanche, l'athlète qui participe aux Jeux olympiques pour personnes handicapées est certes dépendant de son fauteuil roulant de sport, mais libre de décider (donc autonome) de participer ou non aux compétitions. Ainsi, la lutte contre les situations de handicap a pour objet de permettre aux personnes concernées de conserver ou de retrouver leur

---

1. E. Morin, *La Complexité humaine*, Paris, Flammarion, 1994, p. 283.

autonomie au prix parfois de dépendances plus ou moins importantes. Il n'y a pas d'antinomie entre autonomie et dépendance, contrairement à ce qu'un usage erroné de ces termes laisse trop souvent entendre.

Rééducation et réadaptation

La rééducation, une action médicalisée tournée vers l'autonomie fonctionnelle de la personne. – Le terme « rééducation » comporte le mot « éducation ». Il s'agit donc autant d'une action pédagogique éducative que d'une action thérapeutique. Il est parfois utilisé dans le sens d'une rééducation sociale, par exemple au travail. Il nous paraît préférable de lui conserver un sens médicalisé, d'action de santé, spécifique certes, mais avant tout thérapeutique. Il s'agit, par des moyens appropriés, de prévenir ou de corriger les lésions et les limitations fonctionnelles. La rééducation fonctionnelle apparaît alors comme un aspect médical de la prise en charge du handicap. Elle correspond au volet « médecine physique » de la dénomination internationale d'inspiration anglophone. Elle a pour objectif l'autonomie fonctionnelle avec ou sans dépendance fonctionnelle (appareil de marche, chaussure orthopédique, par exemple) aux fins d'améliorer les performances face aux exigences des situations de la vie.

Ce type d'action requiert l'intervention de médecins et tout particulièrement de médecins-rééducateurs[1], de kinésithérapeutes[2] (ou physiothérapeutes), d'ergothérapeutes, d'orthophonistes[3] (ou logopèdes), auxquels s'ajoutent les techniciens de l'appareillage, les psychologues, les infirmières (qui ont un rôle très important)

---

1. La médecine de rééducation est l'une des spécialités médicales et porte récemment (1985), en France, le nom de médecine physique et de réadaptation. C'est aussi une spécialité médicale reconnue dans toute l'Union européenne.
2. Les kinésithérapeutes sont les plus connus parmi les rééducateurs paramédicaux. Ils interviennent sur la prévention et la correction des lésions, mais aussi dans la rééducation des limitations fonctionnelles.
3. Les orthophonistes sont des rééducateurs du langage écrit et parlé.

mais aussi les orthoptistes[1] et les psychomotriciens (ou récréathérapeutes aux États-Unis)[2]. Les kinésithérapeutes interviennent avec prédilection sur les lésions et les fonctions, les ergothérapeutes sur les fonctions et les situations. Bien des difficultés surviennent pour le langage du fait des professionnels qui se définissent sans tenir compte du cadre social général. C'est ainsi que les Québécois n'utilisent pas le terme « rééducation », qu'ils remplacent par « réadaptation », créant une confusion supplémentaire préjudiciable aussi parce qu'il vide « réadaptation » de son contenu essentiel, social.

L'articulation entre cette médecine de l'Homme fonctionnel et son environnement physique et social est parfaitement bien exprimée par la nouvelle définition européenne de la médecine physique et de réadaptation :

« La médecine physique et de réadaptation (MPR) a pour objectif de mettre en œuvre et de coordonner toutes les mesures visant à prévenir ou réduire au minimum inévitable les conséquences fonctionnelles, subjectives, sociales et, donc, économiques d'atteintes corporelles par maladie, accidents ou, du fait de l'âge » (définition européenne).

La médecine de rééducation dans son acception actuelle est récente.

Au début du XXᵉ siècle s'est organisée une spécialité médicale qui s'est appelée « kinésithérapie ». Elle combinait les moyens de la gymnastique médicale inventée par un Suédois et ceux des traitements électriques, mécanothérapiques et balnéothérapiques très en vogue à cette époque. Par ailleurs se développaient les techniques de massage qui connaissaient alors un succès important, particulièrement chez les gynécologues.

C'est principalement autour des victimes de la guerre de 1914-1918 que seront d'abord tournées les

---

1. Rééducateurs spécialisés dans les difficultés fonctionnelles visuelles.
2. Les psychomotriciens pratiquent des méthodes de rééducation globales qui vont de l'éveil psychomoteur au contrôle gestuel.

préoccupations médicales concernant les personnes atteintes d'une lésion fonctionnellement handicapante. Une médicalisation de la prescription et du suivi des amputés appareillés a été mise en place avec un service spécifique de médecins et de techniciens auprès du ministère des Anciens combattants et Victimes de guerre.

Parallèlement, de façon non systématisée, et sans grande concertation, un certain nombre de médecins orientaient, dans des proportions variables, leurs actions thérapeutiques vers ce que l'on a appelé la « médecine physique ». Cette expression est l'équivalent du terme de « physiatre », adaptation en français du terme anglo-américain *physiatrist* qui, lui-même, vient du vieux français « fiziciens »[1] qui désignait, au Moyen Âge, les ancêtres des médecins.

C'est après la Seconde Guerre mondiale que la médecine de rééducation va se constituer une identité et s'organiser. Cette période d'après-guerre a aussi été celle du développement, dans les pays industrialisés, d'une importante épidémie de poliomyélite antérieure aiguë qui a été à l'origine de créations de structures spécialisées de prise en charge et qui a permis à la médecine de rééducation de faire des progrès méthodologiques importants.

Howard Rusk[2], avec le Centre de rééducation de l'université de New York, a créé probablement l'une des premières matrices de bien d'autres centres de médecine de rééducation en regroupant l'équipe de médecine de rééducation avec les moyens techniques de l'évaluation et de la rééducation et la démarche de l'insertion sociale.

En France, plusieurs équipes mettent en œuvre presque simultanément (1947-1954) la réadaptation

---

1. P. Vallery-Radot, *La Faculté de médecine de Paris*, Paris, Masson, 1944.
2. Howard Rusk, *A World to Care for (A Readers Digest Press Book)*, New York, Random House, 1977.

médicale : le professeur Denys Leroy, à Rennes ; le professeur André Grossiord, à Garches, près de Paris ; le professeur Louis Pierquin, à Nancy (1954), où est réalisé l'un des ensembles les plus complets dans ce domaine, l'Institut régional de réadaptation de Nancy. En Grande-Bretagne, à *Stoke Mandeville*, c'est sous l'impulsion de sir Ludwig Gutman que se développe cette médecine. C'est aussi dans ce lieu que sont organisés les premiers Jeux olympiques pour les personnes handicapées... En Pologne, Marian Weiss met en place un ensemble complet de prise en charge de la personne handicapée près de Varsovie, à Constantine.

Au Québec, Gustave Gingras[1] effectue un travail identique et crée l'Institut de réadaptation de Montréal où se combineront rapidement recherche et réadaptation.

Une spécialité médicale est organisée en France, en 1967, avec le nom de « rééducation et réadaptation fonctionnelle ». En 1992, elle a pris rang dans les spécialités médicales européennes sous le nom de « médecine physique et de réadaptation » (*physical medicine and rehabilitation*) depuis 1995. Ce terme de physique, venu de l'anglophonie où médecin se dit « physician », est peu compréhensible par le grand public et n'a pas le même poids sémantique que « rééducation fonctionnelle ». Parallèlement, les professions paramédicales voyaient le jour : les kinésithérapeutes, appelés *physical therapists* aux États-Unis, *physiotherapists* en Grande-Bretagne et physiothérapeutes dans plusieurs pays francophones (Québec, Suisse, Liban, Tunisie), les orthophonistes (*speech therapists*), les ergothérapeutes (*occupational therapists*), les appareilleurs (*orthesist–prothesists*), tout récemment individualisés, en France, en orthoprothésistes, podo-orthésistes et orthésistes, ont vu leurs formations évoluer pour être plus conformes aux progrès technologiques récents et s'intégrer progressivement dans des cursus universitaires.

---

1. G. Gingras, *Combat pour la survie*, Paris, Laffont, 1974.

Il y a encore un très grand parcours pour faire évoluer les mentalités et les pratiques des professionnels de la santé, médecins et paramédicaux qui ont tendance à considérer les personnes en situation de handicap comme des malades et à les traiter comme tels. C'est ce que souligne Enrico Populin, le responsable de la réadaptation à l'OMS, dans son bilan en 2000. Trop souvent, les personnes concernées ont des traitements inappropriés, choisis sans critère rigoureux et sans concertation avec les médecins. Cela est surprenant à une époque où l'on tend à introduire la médecine fondée sur les preuves (*evidence based medicine*). Un énorme effort de rigueur reste donc à faire pour améliorer les soins aux personnes en situation de handicap et pour équilibrer les soins afin de ne pas pénaliser leur vie sociale. Cela éviterait bien des gâchis et des rééducations inutiles.

Un autre point préoccupant est celui des pays les plus démunis. Les méthodes préconisées en Europe et dans les autres pays riches ne peuvent pas économiquement et techniquement y être appliquées. Un effort d'adaptation et de simplification est donc à faire. Il y a là une source de créativité dont les pays plus développés profiteraient eux aussi sur le plan économique. La médecine de rééducation combinée à la réadaptation sociale apparaît comme un des fondements de tout système de soins et d'économie de la santé. Ce n'est pas un luxe, c'est une nécessité.

La réadaptation, une action à la fois médicale et sociale. – Le terme de « réadaptation » a une dimension plus large, sociale et interactive, que celui de « rééducation » qu'il inclut dans son contenu. Le rapport *À part égale*[1] en donne cette définition : « L'intervention d'adaptation ou de réadaptation est le regroupement, sous forme d'un processus personnalisé, condensé et limité dans le temps, des différents moyens mis en

---

1. *À part égale, op. cit.*

œuvre pour permettre à une personne handicapée de développer ses capacités physiques et mentales et son potentiel d'autonomie sociale. » Nous en proposons une définition plus simple : « L'ensemble des méthodes et des moyens thérapeutiques, psychologiques et sociaux qui permettent à une personne ayant des limitations fonctionnelles d'avoir accès à la participation sociale la plus large possible. »

Le terme « réhabilitation » est un anglicisme qu'il faut abandonner, du moins dans le sens que nous avons indiqué. La réadaptation apparaît donc comme l'action d'entreprendre l'insertion ou l'inclusion sociale avec participation.

Insertion sociale, intégration sociale ou inclusion...
« Insertion » et « intégration » sont des termes qui reviennent souvent dans le champ du handicap. Ils en définissent l'objectif final : prévenir la désinsertion, maintenir l'insertion ou réinsérer.

Henri Lafay[1] préfère le terme d'« intégration » à celui d'« insertion », qui lui paraît plus puissant à condition, dit-il, d'en retenir la définition du philosophe Lalande : « Établissement d'une interdépendance plus étroite entre les membres d'une société. »

On voit donc que la notion de dépendance et d'interdépendance est reprise. Une insertion sans intégration peut être comprise comme la simple juxtaposition de la personne avec ses difficultés et le milieu sans interdépendance. Ce serait le cas d'un enfant handicapé pour se déplacer qui est scolarisé, mais qui n'arrive pas à suivre l'enseignement.

On s'aperçoit ainsi que la notion d'intégration est antinomique de celle du handicap. L'usure des mots et la volonté de lutter contre la discrimination entraînent des critiques et des redéfinitions qui ne sont pas forcément

---

1. Henri Lafay, *L'Intégration scolaire des enfants et adolescents handicapés*, Paris, La Documentation française, 1987.

heureuses. C'est ainsi que le mot « intégration » a été considéré comme coercitif par rapprochement avec ce qui a pu se passer vis-à-vis de certains peuples victimes d'une assimilation forcée – tandis que, dans l'esprit de la déclaration européenne de Madrid[1], le terme franco-anglais d'« inclusion » était proposé par opposition à « exclusion ». En revanche, le consensus s'est établi autour de la notion de « participation sociale ». Mieux, un mouvement très actif dans une phase de réforme de la loi française sur les personnes handicapées, regroupant associations, chercheurs et hommes politiques, s'est développé autour de la notion d'« interactivité » dans les situations de handicap, ce qui renforce la « pleine participation »[2].

Pour une approche « communautaire » de la question médicale et sociale du handicap. – Les considérations qui précèdent rapprochent l'handicapologie du courant dit « communautaire » de la santé. Ce mot a été emprunté à l'anglais *community* et indique que l'on choisit une approche globale de la santé incluant le cadre de vie au sens large : famille, ville, loisirs, travail, école, etc. C'est le cas d'un programme de l'Organisation mondiale de la santé destiné aux pays en émergence : réadaptation. C'est dans cet esprit que des projets associant communautés urbaines et départementales avec le système médicalisé de la réadaptation sont à développer. Il convient de sortir la médecine de rééducation des murs traditionnels de ses « centres ». Le développement de services avec maintien à domicile (hospitalisations de jour, SESAD).

---

1. Déclaration de Madrid, 2002, Internet.
2. V. Assante, *Pour supprimer, à défaut réduire et/ou compenser les situations de handicap*, contre-projet de loi, ANPIHM, 30 mars 2004.

Propositions
pour un futur immédiat

Nous avons essayé d'éclairer de diverses façons un phénomène univoque, le handicap. Tout en respectant d'autres points de vue, nous estimons qu'il faut le définir de façon simple directement opérationnelle, compréhensible et utilisable par tous.

Cette définition passe, selon nous, nécessairement par une distinction sans ambiguïté entre quatre niveaux :

- les *modifications d'un ou plusieurs organes* ;
- le *retentissement sur les capacités fonctionnelles* de l'individu ;
- les *conséquences* de ces modifications dans les diverses situations rencontrées dans la vie ;
- la *perception*, par l'intéressé, de cet ensemble.

Les handicaps apparaissent alors comme des déséquilibres entre les aptitudes d'un individu et les exigences de son environnement humain ou physique à un moment donné.

Il est relativement aisé de cerner les deux premiers niveaux : altération d'un organe et capacités fonctionnelles du sujet, nous avons montré l'existence de tests objectifs pour cela.

En revanche, définir si l'on est ou non en situation de handicap implique des repères, des références. Ils dépendent du contexte social, culturel et économique dans lequel vit le sujet. C'est l'un des facteurs essentiels d'évolution et de variabilité des handicaps ainsi que de leur appréciation par les intéressés eux-mêmes.

Le handicap est défini. Nous sommes tout à fait persuadé que le fait de répéter qu'il y a « plusieurs définitions du handicap », que « l'accord n'est pas fait sur ce qu'est le handicap » ne fait que retarder la mise en œuvre des actions de santé et de société qui s'imposent.

Les situations de handicap existent, il est facile de les observer, et il devient même possible de les mesurer sans qu'il soit nécessaire de fabriquer des instruments pour chaque maladie ou chaque catégorie de personnes en situation de handicap.

Bien des actions sont engagées, nous voulons cependant terminer en rappelant certaines qui nous paraissent devoir être soulignées.

Mieux connaître les personnes qui vivent des situations de handicap, les interférences avec la famille, les incidences sur l'éducation, sur l'organisation du monde du travail, sur l'organisation des loisirs incluant sport et tourisme, le fonctionnement du monde associatif.

Adapter le système de santé aux besoins des personnes handicapées en les considérant non pas comme des malades selon des schémas médicaux usuels, mais comme des usagers des services de santé aux besoins spécifiques.

Multiplier les actions conjointes du sanitaire et du social.

Informer les personnes handicapées et surtout les autres.

Faire en sorte que le handicap ne soit plus un secteur pauvre *de la recherche et de l'enseignement.* Enfin, nous voulons particulièrement insister sur les efforts à faire pour les personnes handicapées des pays les plus pauvres. Il y a des raisons d'espérer, c'est ainsi que nous avons rencontré, en Algérie, un architecte qui avait pris l'initiative de réaliser tous les logements sur les critères d'accessibilité pour des personnes en situation de handicap. On souhaite qu'il soit largement imité !

BIBLIOGRAPHIE

À part... égale. L'intégration sociale des personnes handicapées : un défi pour tous, Drummondville (Québec), OPHQ, J2 6x1, CP 820, Canada.

Assante V., *Situations de handicap et cadre de vie*, Conseil économique et social, *Journal officiel de la République française* (année 2000), n° 10, 20 septembre 2000.

Bégué-Simon A.-M., *De l'évaluation du préjudice à l'évaluation du handicap*, Paris, Masson, coll. « Médecine légale et toxicologie médicale » (Pr L. Roche), 1987.

Blanc A., *Les Handicapés au travail*, Paris, Dunod, 1995.

–, *Les Travailleurs handicapés vieillissants*, Grenoble, PUG, 2008.

Blanc A., Sticker H.-J., *L'Insertion professionnelle des personnes handicapées en France*, Paris, Desclée de Brouwer, 1998.

Brouard G., Roussel P., *Handicap en chiffres*, édité par le CTNE-RHI, Paris, 2005.

Canguilhem G., *Le Normal et le Pathologique*, Paris, Puf, 1993.

Chapireau F., Constant J., Durand B., *Le Handicap mental chez l'enfant*, Paris, ESC, 1997.

Droit et handicap, édité par le CTNERHI, Paris, 1985.

Évaluation en médecine de rééducation, numéro spécial du *Journal de réadaptation médicale*, vol. 11, Paris, Masson, 1991.

Classification internationale du fonctionnement, du handicap et de la santé (CIF), Genève, OMS, 2001.

Classification internationale du fonctionnement, du handicap et de la santé. Version pour enfants et adolescents (CIF-EA), Genève, OMS, 2008.

Cloutier R., Fougeyrollas P., Bergeron H., Côté J., Côté G., Saint-Michel G., *Processus de production des handicaps*, CQCI DIH/SCCIDIH, CP 225, Lac-Saint-Charles (Québec), GOA 2HO.

Déficiences motrices et situations de « handicap », Éditions APF, 2002, document.pdf, 10 p., 118 Ko. *Lien interne apf-moteurline*.

Eisemberg M. G., Griggins C., Duval R. J., *Disabled People as Second-Class Citizens*, New York, Springer Publishing Company, 1982.

Florès J.-L., Minaire P., *Épidémiologie du handicap. Étude fonctionnelle d'une population*, 1985, Institut national de recherche et d'études sur les transports et leur sécurité, Laboratoire ergonomie-santé-confort, 109, avenue Salvador-Allende, 69500 Bron.

Fougeyrollas P., *Classification québécoise. Processus de production du handicap*, Québec, Réseau international sur le processus de production du handicap, 1998.

Fougeyrollas P., Cloutier R., Bergeron H., Côté J., Saint-Michel G., *Classification québécoise. Processus de production du handicap*, Québec, Réseau international sur le processus de production du handicap, RIPPH/SCCIDIH, 1998, 166 p.

Goffman E., *Stigmate. Les usagers sociaux des handicaps*, Paris, Minuit, 1985.

Gohet P., *Rapport sur le bilan de la loi du 11 mars 2005 et de la mise en place des MDPH*, Paris, Ministère des Affaires sociales, 2007.

Granger C. V., Gresham G. E., *Functional Assessment in Rehabilitation Medicine*, Baltimore-Londres, William & Wilkins, 1984.

Grosbois L., *Handicap et construction*, Paris, Éditions du Moniteur, 2009.

Guide-Barème pour l'évaluation des déficiences et incapacités des personnes handicapées, mise à jour 2007, Paris, CTNERHI, 2008.

Guide des personnes handicapées, édition 2008, Paris, La Documentation française ; *Journaux officiels (JO). Droits et démarches.*

Hamonet Cl., *Lettre au président Jacques Chirac sur le handicap et les personnes en situation de handicap*, Paris, Connaissances et savoirs, 2004.

–, « Existe-t-il des handicaps légers ? », *Réadaptation*, n° 300, 1983, p. 19.

Hamonet Cl., Bégué-Simon A.-M., Brachet M.-P., Thervet J.-P., « Évaluer le dommage corporel : nouvelles conceptions, nouveaux outils », *Revue française du dommage corporel*, 11-1, 1985, p. 7-13.

Hernandez Ch., *L'Insertion des handicapés dans la fonction publique*, Paris, La Documentation française, 1982.

Lafay H., *L'Intégration scolaire des enfants et des adolescents handicapés*, Paris, La Documentation française, 1986.

Lambert J.-L., *Handicap mental et société*, Fribourg (Suisse), Delvat-Cousset, 1986.

Langouet G., *L'Enfance handicapée*, Paris, Hachette, 1999.

Lasry C., Gagneux M., *Bilan de la politique en direction des personnes handicapées*, Paris, La Documentation française, 1983.

Lenoir R., *Les Exclus*, Paris, Le Seuil, 1974.

Les Handicapés, n° 5, septembre-octobre 1987, coll. « Solidarité Santé. Études statistiques », Paris, Masson.

« L'éthique clinique en médecine physique et de réadaptation », *Réadaptation médicale*, numéro spécial 4, Paris, Masson, 2003.

Magalhaes T., *Estudo tridimensionnal do dano corporal : lesao, funçao e situaçao*, Coimbra, Almedina, 1998.

Maury M., *Le Plongeon. Souvenirs d'un pionnier en fauteuil*, Paris, Bayard Culture, 2002.

Programme d'action mondial concernant les personnes handicapées, Décennie des Nations unies pour les personnes handicapées, New York, Nations unies, 1983.

Réduire les handicaps, Paris, INSERM-La Documentation française, 1985.

Réseau international CIDIH, vol. 2, n° 1, 1989, 13-99, rue Thibodeau, CP 225, Lac-Saint-Charles, Québec (Canada), GOA 2HO.

Rogier A., *Handicap. Éléments médico-légaux*, Paris, Eska, 2001.

Roussel P., Sanchez J., *Habitat regroupé et situations de handicap*, CTNERHI (236 *bis*, rue de Tolbiac, 75014 Paris), 2008.

Stiker H.-J., *Corps infirmes et sociétés*, Paris, Aubier-Montaigne, 1982.

Veil Cl., *Handicap et Société*, Paris, Flammarion, 1968.

Veysset B., Deremble J.-P., *Dépendance et vieillissement*, Paris, L'Harmattan, 1988.

Vueillet Y., *Les Roues de l'infortune. De la chute à la lutte*, Paris, 2010.

Wood P. H. N., *International Classification of Impairments, Disabilities and Handicaps*, Genève, WHO/OMS, 1980, p. 205 ; trad. éditée par le CTNERHI, 236 *bis*, rue de Tolbiac, 75014 Paris.

REVUES

Journal de réadaptation médicale, Issy-les-Moulineaux, Elsevier-Masson.

Alter.

Ergothérapies, Association nationale française des ergothérapeutes.

Handicap société (CTNERHI), 236 *bis*, rue de Tolbiac, 75013 Paris.

Annals of Physical Medicine and Rehabilitation, Paris, Elsevier-Masson.

Reliance (Recherche, Handicap), CÉRES, université Louis-Lumière-Lyon-II.

TABLE DES MATIÈRES

Du même auteur

Classification internationale du fonctionnement, du handicap et de la santé, Genève, OMS, 2001.

Le corps, à qui appartient-il ?, collectif sous la direction de F. Lemaire, S. Rameix et J.-P. Ghanassia, Paris, Flammarion, coll. « Médecine-Sciences », 1996.

Système d'identification et de mesure des handicaps SIMH. Manuel pratique, Paris, Eska, 2001.

Mélanges Lambert. Droit et économie de la santé, collectif, Paris, Dalloz, 2002.

Le Handicap. Les mots pour le dire, les idées pour agir, lexique (en coll. avec Marie de Jouvencel), Paris, Connaissances et Savoirs, 2004.

Lettre à M. Jacques Chirac, président de la République, à propos du handicap et des personnes qui vivent des situations de handicap, Paris, Connaissances et Savoirs, 2004 ; rééd. 2009.

Prévenir et traiter le mal de dos. Un nouveau regard, Paris, Odile Jacob, 2006.

Corps normalisé, corps stigmatisé, corps racialisé, sous la direction de Gilles Boëtsch, Christian Hervé et Jacques Rozenberg, Bruxelles, De Boeck Université, 2007.

La Sexualité traumatisée. Aborder la sexualité des traumatisés crâniens, Fondation MAAF (Niort), UNAFTC (Paris), 2008.

Les Travailleurs handicapés vieillissants, collectif sous la direction d'Alain Blanc, Grenoble, PUG, 2008.

Paroles de malades, paroles de médecins, collectif sous la direction de Pierre Kamoun, Paris, Glyphe, 2009.

« Le handicap » in *Santé, égalité, solidarité. Des propositions pour humaniser la santé*, J.-F. Mattéi, C. Dreux, Springersanté, 2011.

Composition et mise en pages
Nord Compo à Villeneuve-d'Ascq

Imprimé en France
par la Nouvelle Imprimerie Laballery
rue Louis Blériot 58500 Clamecy
décembre 2015 - N° 512080

La Nouvelle Imprimerie Laballery est titulaire de la marque Imprim'Vert®